Llangynog gynt

Atgofion
J. D. Lloyd

942 · 95)

Argraffiad Cyntaf – Rhagfyr 2000

© J. D. Lloyd 2000

ISBN 0 86074 171 0

*Cyhoeddwyd gan yr awdur
ac argraffwyd gan Wasg Gwynedd, Caernarfon*

Cyflwyniad

'Gwin a gawn yn nawn ein hoes
O rawnwin bore einioes'

meddai Sarnicol. A minnau bellach yn nawn fy oes, mae gwin fy atgofion fel pe'n felysach o ddydd i ddydd. Rhannu â chwi beth o'r gwin hwnnw yw fy amcan yn y llyfryn hwn; nid oherwydd fy mod yn credu bod fy atgofion personol i'n fwy diddorol na rhai neb arall ond oherwydd fy mod yn awyddus i'w cofnodi am eu bod yn adlewyrchu ffordd o fyw nad yw'n bod mwyach.

Yn Llangynog, fel pob llan arall, nid oedd fawr ddim newid yn ystod fy llencyndod i, dim ond rhai o'r hen wynebau'n diflannu a'u disgynyddion yn cymryd eu lle. 'Roedd y patrwm yn sefydlog a'r dolennau teuluol o genhedlaeth i genhedlaeth yn dal cymdeithas yn rhwym wrth aerwy'r gorffennol. Mae'n wir ddarfod i lawer o estroniaid o Gernyw a Gogledd Lloegr ymsefydlu yma pan oedd y gweithiau mwyn yn eu hanterth ond, fel mewn sawl ardal Gymreig arall, daethant yn rhan o'r gymdeithas frodorol, a'r iaith Gymraeg a glywid ar wefusau eu disgynyddion. Nid felly heddiw, ysywaeth.

Bellach, mae yma newid o wythnos i wythnos ac o ddydd i ddydd. Yn wir, ni fu mewn hanes gymaint o newid ag a fu o fewn fy nghof i. Newid er gwell mewn rhai cyfeiriadau ond, heb os, newid er gwaeth mewn

5

cyfeiriadau eraill. Caewyd pedair chwarel, caewyd y rheilffordd, caewyd ysgol a chapel. Ar y llaw arall, codwyd neuadd goffa, tai cyngor, pont a ffordd newydd yn ogystal â gorsaf betrol ac amryw fân welliannau eraill. Ar yr un pryd, newidiodd holl batrwm cymdeithas bron yn llwyr. Yn wir, mae'r gair 'cymdeithas' ynddo'i hun yn prysur fynd yn ddiystyr ac fe ymddengys fod gan bobl fwy o ddiddordeb yn hynt a helynt y teulu brenhinol a'u tebyg nag yn hynt a helynt y teulu drws nesaf. I hynafgwr fel fi, a fagwyd mewn cymdogaeth gynnes, glos lle'r oedd pawb yn adnabod ei gilydd, eu rhinweddau a'u ffaeleddau, y mae'n anodd dygymod â'r ffaith nad wyf bellach hyd yn oed yn gwybod enwau rhai o'm cymdogion. Wynebau'n mynd heibio yn eu cerbydau yw llawer ohonynt. Nid rhyfedd fod yn chwith gennyf am sŵn ceffyl a chert yn nesáu ac yna'r 'We-e-e!' ddi-ffael a olygai sgwrs a chlonc. Heddiw mae gan bobl fwy o amser hamdden nag erioed, ac eto mae llai a llai o bobl hamddenol.

Diflannodd yr hen gymeriadau prin eu haddysg ond gwreiddiol eu dychymyg a'u hymadrodd; rhai fel Dic Jones a weithiai yn y chwarel. Yn y dauddegau daeth gŵr o'r enw Mr Thirwell yno yn oruchwyliwr ac arferai hwnnw sefyll uwch ben y chwarel er mwyn gwylio'r dynion islaw. Cyffelybodd Dic Jones ef i Jac y Do, a dyna fu ei lasenw tra bu yno!

Wrth edrych o'm cwmpas gwelaf olion hen chwareli mwyn a cherrig yn segur. Gwelaf y tomennydd sbwriel a gloddiwyd a meddyliaf am y dynion a fu'n llafurio yno am y nesaf peth i ddim ac yn magu tyaid o blant, weithiau ddeg neu ddwsin. Nid yw sŵn y cŷn a'r morthwyl a'r peiriant malu â'i lwch fel barrug hyd y coedydd ond megis ddoe. 'Ni ddaw i neb ddoe yn ôl!, mae'n wir, ond mae'n bwysig rhoi'r ddoe hwnnw ar gof a chadw. Dyna hanfod gwareiddiad.

Nid wyf yn hanesydd nac yn fab i hanesydd, a'r cyfan sydd gennyf i'w gynnig yw'r hyn a welais ac a glywais er nad wyf am eiliad yn honni anffaeledigrwydd fy nghof na'm clyw.

Cynhwysais atgofion fy niweddar ewythr, R.E. Lloyd, am Gwm Pennant ynghyd â'r hyn a sgrifennodd y diweddar John Watkins, Buarth Glas am Ysgol Sabothol Rhiwarth (trwy ganiatâd caredig Mrs Francis, Croesoswallt). Defnyddiais hefyd rywfaint o'r hyn a sgrifennodd y ddiweddar Mrs Hill am Gapel Penuel ac rwyf yn ddyledus iawn i Mrs Olwen Morris, Penyfelin am gael benthyg a defnyddio detholiad o nodiadau'r Parch H. Lefi Jones ar Hanes y Methodistiaid Calfinaidd yn Llangynog. Cynhwysais ffotograffau a ymddangosodd o dro i dro yn *Yr Ysgub* ac rwy'n ddiolchgar i'r golygyddion ac i berchnogion y lluniau am eu caniatâd i'w cynnwys yn y cyhoeddiad hwn. Diolch hefyd i Stanley ac Olive Evans, Croesoswallt am eu cymorth cyson.

J.D. Lloyd
Bryn Celyn

Atgofion

Yng Ngorffennaf 1890 daeth teulu John ac Elisabeth Lloyd o Langwm yn Sir Ddinbych i fyw a gweithio yn Llechwedd-y-garth. Ychydig ynghynt 'roedd John Lloyd wedi cerdded bob cam o Langwm i Lechwedd-y-garth i gwrdd â General Gough, perchennog y stad, a chyflogi fel pen-cipar. Yna cerddodd yn ôl yr un diwrnod. Sais yn perthyn i deulu o giperiaid a ymfudodd o Cumbria i Ysbyty Ifan oedd ef, a hithau'n ferch Bryncelynnog, Trawsfynydd. Cymraes uniaith oedd hi, heb Saesneg o fath yn y byd, a phrin iawn oedd ei Gymraeg yntau ond fe ddysgodd yr iaith er mai'n ddigon clapiog y'i siaradai. 'Roedd ganddynt wyth o blant, sef Mary, Margaret, Jane, Sarah, Emily, John, Bob ac Ann.

Yr oedd John, y mab hynaf, yn cipera gyda'i dad ac fe briododd â Catherine Ann, merch David ac Ann Morris, Y Fronwen. Cawsant ddeg o blant, a'r pumed o'r rheiny wyf fi. Fe'm ganwyd ar Fai 27, 1909, a hynny gyda rhyw nam ar fy esgyrn a olygai na fuaswn byth yn medru defnyddio fy mreichiau a'm coesau fel plant eraill. Yn ffodus iawn, 'roedd y saethu ar stad Llechwedd-y-garth yn cael ei osod i ddyrnaid o wŷr busnes o Lerpwl ac fe wyddent hwy am ŵr ifanc o'r enw Robert Jones a weithiai fel meddyg plant yn ysbyty Heswall, Cilgwri (Wirral). Ef oedd y Dr Robert Jones (Syr yn

8

ddiweddarach) a ddaeth yn fyd-enwog fel meddyg esgyrn ac a sefydlodd ysbyty orthopaedig Gobowen ger Croesoswallt. Er bod yr ysbyty yn Heswall yn gyfyngedig i blant Glannau Mersi, trwy garedigrwydd y gwŷr busnes hwyluswyd y ffordd i mi gael mynediad ac yno y bûm am ddeunaw mis. Yn ôl a glywais, 'roedd Robert Jones yn unioni'r breichiau a'r coesau trwy eu tylino â'i ddwylo. Parhaodd y driniaeth gyfan am dair blynedd, a gyda chymorth amryw o berthnasau llwyddwyd i dalu'r costau a chefais innau wellhad llwyr cyn dechrau mynd i'r ysgol.

I ysgol Llandderfel yr euthum gyntaf gan mai ym Melin Cletwr yr oeddym yn byw ar y pryd. Yr oedd fy nhad, ar ôl ymadael â Llechwedd-y-garth dros dro, yn cipera Afon Dyfrdwy o'r Bala i Langollen. Symudwyd wedyn i Landrillo ac yno yr oeddym yn 1914 pan dorrodd y Rhyfel Mawr allan. Mae gennyf gof clir am 'evacuees' yn dod oddi ar y trên yn Llandrillo. Erbyn 1915 yr oeddym yn Llangynog a'm tad unwaith eto yn gipar yn Llechwedd-y-garth.

Rhaid dweud mai addysg digon di-liw a geid yn ysgol Llangynog bryd hynny. Yn wir, 'roedd gan y Sgŵl fwy o ddiddordeb yn ei bapur newydd nag oedd ganddo yn ei ddisgyblion. Y tu allan i oriau ysgol byddwn yn treulio llawer o amser yn helpu fy nhaid a'm nain, rhieni fy mam. 'Roedd fy nhaid wedi bod yn was i Thomas Morris, Tyddyn yr Helyg, ac un o'i orchwylion yn y fan honno oedd cludo haidd i'r Bala i'w werthu. Un tro, yn wahanol i'r arfer, 'roedd y llwyth wedi'i lwytho'r noson cynt er mwyn cael cychwyn yn gynnar fore drannoeth. Pan gyrhaeddodd Stryd Fawr y Bala dechreuodd ceiliog Tyddyn yr Helyg ganu dros y dref. 'Roedd wedi clwydo ar echel y gert! Maes o law, cychwynnodd fy nhaid ar ei fenter ei hun trwy brynu ceffyl a chert i gario o gwmpas fel y byddai'r angen. Âi i Lanfyllin i nôl llwyth o lo a'i werthu am ychydig geiniogau'r cant yn fwy am ei gario. Os oedd raid, gwnâi'r daith hon ddwywaith y dydd. Arferai rentu ambell gae yma ac acw a phrynodd fuwch neu ddwy hefyd a dechrau gwerthu llaeth hyd y pentref. 'Roedd y tŷ, yn Stryd yr Eglwys, wedi bod ar un adeg yn ddau dŷ ac felly 'roedd ynddo ddwy gegin, y naill yn gegin orau a'r llall ar gyfer y busnes. Yno y byddai fy nain yn gwneud y golchi a'r corddi ac yno hefyd mewn ffwrn fawr y byddai'n crasu bara, nid yn unig ar gyfer y teulu ond y rhan fwyaf o deuluoedd y Llan yn ogystal. Busnes prysur iawn oedd hwn. Cofiaf un hen frawd yn dod yno gyda basgedaid o does, a hwnnw fel wyau trwy'r tyllau yn ochrau'r fasged! Prynai fy nhaid goed — coed ynn gan amlaf —a'u torri ar y buarth gyda bwyell ar gyfer y ffwrn. Fel yr âi'n hŷn ac yn llai abl dibynnai fwyfwy arnaf fi i ledio'r gaseg a'r gert. Bûm lawer gwaith yn torri mawn ar y Berwyn a'u gosod yn daclus i sychu am ryw bythefnos cyn eu cludo adref i'w gwerthu am hanner coron y sach.

Un o ddyddiau mawr fy mywyd oedd y diwrnod y cefais fynd â'r gaseg fach, Bess, i'w phedoli yng ngefail Griffith Owen ym Mhen-y-bont-fawr. 'Roedd cerdded dwy filltir yn ormod i'm taid bellach ac, er mai hogyn dibrofiad oeddwn, y fi a gafodd y fraint. Yr adeg honno, wrth reswm, nid oedd fawr ddim moduron i'w cwrdd, dim ond ambell ful. Mae'n debyg fod y paratoadau wedi eu gwneud ymlaen llaw, a'r cyfan a ddisgwylid i mi ei wneud oedd cyrraedd yno. Fe wneuthum. Gwahanol, a dweud y lleiaf, oedd y siwrnai adref. Caseg go danbaid oedd Bess, yn enwedig ar ôl cael pedolau newydd. Fe'm gosodwyd ar ei chefn heb yr un cyfrwy i'w marchogaeth adref ac fe garlamodd hithau yr holl ffordd i Langynog! Maddeuais iddi, a diwrnod trist i mi oedd diwrnod ei gwerthu am ugain punt.

Cafodd ein teulu ni amser caled ar ôl Rhyfel 1914-18. Bu salwch mawr ac fe gollwyd llawer o blant yr ardal. 'Roedd diptheria bron ym mhob tŷ ac fe ddaeth i'n tŷ ninnau ond trwy ryw wyrth ni fu farw yr un ohonom. Mae ein dyled yn fawr i'r diweddar Ddr Fred Jones, Llanfyllin a ddeuai atom bob dydd tra buom yn wael. Wedi i ni wella trawyd fy nhad â pharlys a bu'n gorwedd am flwyddyn gron. Diolch i'r drefn, cafodd yntau wellhad.

Amser caled oedd hwnnw: arian yn brin a gwaith bwydo ar dyaid o blant. Ni allai fy mam ymgymryd â dim ar wahân i ofalu am y cartref. Fodd bynnag, yr oedd fy nhad wrthi'n barhaus yn gwneud ffyn a phastynau i'w gwerthu. Gwnaeth gannoedd ohonynt yn ystod ei oes ac mae'n siŵr bod llawer ohonynt ar gael ledled y wlad. Er pan fedraf gofio 'roedd ffyn ym mhobman yn ein tŷ ni — ffyn a farnais a phapur swnd.

Diddordeb mawr arall gan fy nhad oedd canu. Gwelid llyfrau a phapurau cerddoriaeth ar wasgar hyd y lle. Dysgai Hen Nodiant i blant ac oedolion yn ogystal â hyfforddi ac arwain partïon ar gyfer eisteddfodau a chanu carolau. Ac wrth gwrs, 'roedd Capel Ebeneser yr Annibynwyr yn chwarae rhan bwysig yn ein bywyd; fy nhad yn flaenor ac yn un o'r noddwyr hyd ei farwolaeth yn 1950.

Gadewais yr ysgol yn bedair ar ddeg oed heb ryw lawer o addysg ond yn gyfarwydd â gwaith fferm ac yn medru godro. Fodd bynnag, euthum i'r chwarel am rai misoedd — Chwarel Watson, Godre'r Berwyn, ac yna Chwarel Monkhouse. Pedair a dimai'r awr oedd y tâl am ddeg awr y dydd. Wrth gwrs, deg ceiniog yr awr oedd cyflog y dynion, er mai anfynych y telid yr un arian i'r holl weithwyr.

Yn 1925, a minnau bellach yn bymtheg oed, cyflogais i fod yn was i William Morris, Tŷ Isaf, Maengwynedd ger Llanrhaeadr-ym-Mochnant. Serch hynny ni arhosais yno'n hwy nag ychydig fisoedd oherwydd bod gormod o waith cerdded o Langynog i Lanrhaeadr.

Ym mis Mai 1925 cyrhaeddais Ffair Glamai'r Bala, er nad oes gennyf gof yn y byd sut yr euthum yno. Byddai llawer o fechgyn ifainc o Sir Drefaldwyn yn mynd yno i chwilio am waith, ac amryw o rai eraill yn ail-gyflogi neu'n newid eu lle. Yr arferiad oedd cerdded ar hyd y Stryd Fawr o'r naill ben i'r llall yn ôl a blaen trwy'r dydd. Tra safwn wrth ryw stondin daeth ffermwr ataf, a'r peth cyntaf a ddywedodd oedd 'Wyt ti wedi cyflogi, wa?' 'Naddo,' meddwn innau, a dyma fo'n dechrau dweud ei rinweddau: lle da . . . . byw yr un fath â'r teulu . . . bwyd yr un fath . . . mynd i'r capel . . . llyfrau ar gael, ac felly ymlaen. Bargeiniwyd cyflog o saith swllt yr wythnos a'm bwyd, telerau eithaf teilwng yn yr oes honno. Cyn ymadael ag ef derbyniais hanner coron o bres amod. Wedi cyrraedd adref a siarad â 'nhad a'm mam 'doedd dim troi'n ôl.

Er nad oedd gennyf syniad beth oedd enw fy nghyflogwr newydd nac enw ei fferm yr oeddwn wedi addo ei gyfarfod yn y Bala ar ddiwrnod ac amser penodedig. Aeth fy nhaid â mi yno gyda merlen a thrap dros y Berwyn, a dyna lle'r oedd y ffarmwr gyda'i gaseg a'i gert yn fy nisgwyl wrth westy'r Plas Coch. Eisteddai ar flaen y gert dan gnoi baco, a'i draed ar y siafft. Wedi peth siarad a ffarwelio â 'nhaid rhoddais y bandbocs a gynhwysai fy ychydig eiddo i mewn yn y gert ac eisteddais arno. Prin iawn fu'r sgwrs ar y daith bum milltir i'r fferm, sef Nantycyrtiau, Cwm Tirmynach, cartref Thomas a Winnie Jones, y ddau oddeutu trigain oed. Yno hefyd yr oedd eu merch, Anne Blodwen, gwraig William Thomas, Nant-gau, a'i baban Huw Goronwy. Ymhen blynyddoedd daeth y baban hwnnw yn un o werthwyr moduron mwyaf llwyddiannus gogledd Cymru. Cefais gartref cysurus yn Nantycyrtiau am y flwyddyn y bûm yno. Fferm fechan ydoedd gyda'r cyfan ohoni i'w weld o'r buarth. Yn wir, gellid dweud ei bod yn rhy fychan i gynnal gwas, ond wedyn, 'roedd pob fferm yn cadw gwas y dyddiau hynny, a rhai'n cadw dau neu ragor.

Yn y gegin 'roedd bwrdd crwn i'r teulu ar ganol y llawr ac i mi 'roedd bwrdd bach wrth y drws a'r ffenest'. Trwy ddrws y bwtri, heibio'r llestri llaeth a phethau'r gwaith tŷ, y ceid mynediad o'r tu allan. Cedwid drws y ffrynt heb ei agor ond ar adegau neilltuol.

Arferid codi tua saith y bore a mynd allan i odro cyn brecwast. Yna, yn ôl i'r tŷ, a'r peth cyntaf a wnâi Thomas oedd estyn sosban yn llawn o laeth enwyn a'i roi ar y tân i ferwi nes byddai'r caws ar yr wyneb. Estynnai fasn yr un iddo ef a minnau ac yna cymerai dafell o fara cyrch a'i thorri yn ei hanner i'w rhannu. Wedi malu'r bara cyrch i'r basn cymerai lwy fawr i dorri'r caws a thywalltai'r llaeth poeth arnynt. Hynny oedd ein brecwast gan amlaf. Rhywbeth yn debyg oedd hi ym mhobman yr adeg honno:

cynnyrch cartref heb fawr ddim yn dod o'r siop. Ni chefais annwyd o gwbl tra bûm yno.

Byddwn yn mynd i'r capel, wrth reswm, ac yn mynychu'r Ysgol Sul lle'r oedd Robert Roberts, Tŷ Capel yn athro. 'Roedd yna Robert Roberts arall yn yr ardal hefyd, sef Bob Tai'r Felin ac mae gennyf atgofion melys am sawl cyfarfod bach lle byddai'n creu hwyl a difyrrwch. Dysgais amryw o'i ganeuon ef ac eraill ar fy nghof. Gerllaw'r capel yr oedd tŷ Glanyrafon lle trigai gwraig o'r enw Ann Roberts a'i merch, ac yno yr âi gweision y ffermydd â'u dillad i'w golchi. Nid oes yno garreg ar garreg bellach.

Rhwng mis Mai a mis Hydref llwyddais i gynilo digon o arian i brynu beic newydd sbon o Birmingham am saith bunt a deg swllt ac, fel y gellid dychmygu, 'roedd bod yn berchen beic yn gaffaeliad mawr yn yr oes honno. Dyna wefr oedd mynd i'w nôl oddi ar y trên yng ngorsaf Fron-goch!

Tra'n sôn am y beic, cofiaf glywed sylw ffraeth un tro. Rhyw ddiwrnod rhewllyd euthum ar gefn y beic ond, gwaetha'r modd, 'doedd ef a minnau ddim yn cyd-weld. Yn y man, fe'm cefais fy hun yn swp ar y ffordd a'r beic lathen neu ddwy ymlaen. Daeth hen ŵr heibio ac meddai, 'Defnyddia dy draed, wasi. Maen nhw wedi'u gwneud o flaen hwnne!'

Erbyn heddiw sylweddolaf nad peth hawdd oedd talu cyflog rheolaidd i was, yn enwedig mewn lle bychan, ond rhaid dweud na chefais unrhyw drafferth i gael fy mhres pa bryd bynnag yr oedd arnaf eu heisiau. Ym mis Mai 1926 ffarweliais â Mr and Mrs Jones, Nantycyrtiau ar ôl blwyddyn hapus iawn yn eu cwmni. Coffa da amdanynt.

Wedi ymadael â Chwm Tirmynach bûm yn gweithio'r haf yn Nhan y Foel, Pennant Melangell cyn symud wedyn i Dŷ Tan Graig, Cwm Cletwr at Mr a Mrs John Morris Williams. Yna, Ddydd Calan 1928 euthum ar fy meic dros y Berwyn, trwy Landrillo a Chynwyd i Gorwen. 'Roeddwn wedi clywed bod cwmni trydan Seamens yn gosod lein drydan o Faentwrog i Wrecsam — y gyntaf yng ngogledd Cymru. Am hanner dydd cyrhaeddais iard yr orsaf yng Nghorwen lle'r oedd swyddfa'r cwmni a gofynnais a oedd gwaith i'w gael. 'Yes,' meddai rhyw ddyn. 'Go to Bryneglwys, find the foreman and find yourself a pick and shovel.' Felly, dyna saith milltir arall i'r beic a minnau, a dechrau gweithio'n syth heb ddim bwyd nac ychwaith le i gysgu am y noson. Y gwaith oedd torri pedwar twll ar gyfer coesau pob peilon. 'Roedd y tyllau i fod yn bedair troedfedd a hanner wrth dair troedfedd a hanner ac yn chwe throedfedd o ddyfnder. Oherwydd bod plât yn cael ei osod ar waelod y twll fel y gellid bowltio'r goes yn sownd wrtho 'roedd yn rhaid i'r mesuriadau fod yn fanwl gywir.

Trwy lwc, trewais ar fechgyn o Langynog, sef Harry Dalton a John Morris (Yr Ochr) a chefais gyd-letya gyda hwy yng Nghorwen. Y noson honno cyrhaeddodd dau ddyn arall yn chwilio am waith ond ymhen rhyw dridiau diflannodd y ddau yn bur ddisymwth, a'r sôn yn y gwaith oedd fod a wnelo'r ddau â llofruddiaeth rhyw heddwas o'r enw PC Guttridge.

Fel y symudai'r gwaith i gyfeiriad y Bala cefais le i aros gyda Mr a Mrs Spurrel Edwards yn y King's Head. 'Roedd yno rai eraill o Langynog yn aros hefyd, sef Griffith John Jones, Trefor Edwards a Bob Roberts.

Yn ystod mis Chwefror gweithiem ein ffordd o Gwm Tirmynach i Gapel Celyn a thros y Migneint am Faentwrog. 'Roedd y tywydd yn eithriadol o oer a garw, a'n dillad a'n hesgidiau ninnau yn amhwrpasol. Yn aml iawn byddai'r holl gelfi yn cael eu dadlwytho ar ochr y ffordd a ninnau'n gorfod eu cludo ar draws y corsydd a'r mawnogydd. Hyd y gwn i, nid oes yr un o'm cyd-weithwyr yn aros. Un ohonynt oedd Bob Grace o ardal Coed-poeth, gŵr a gariai fandolin gydag ef i bobman. Brawd iddo oedd perchennog Siop Graces, Bailey Street, Croesoswallt yr adeg honno.

Pan ddaeth y gwaith ar y peilonau i ben dychwelais i weithio ar y tir. Treuliais dymor haf ym Mlaen y Cwm (Tyddyn Cablyd yw'r enw iawn) gyda Mr a Mrs John Ellis Jones, y ddau newydd briodi. Fel mae'n digwydd, bu hi'n athrawes arnaf yn yr ysgol. Fy nghyflog oedd sofren (punt) yr wythnos a'm bwyd. Fferm ddefaid yw Blaen y Cwm, a'r pryd hwnnw 'roedd y teulu'n rhentu fferm Y Gadfa, Llanwddyn lle'r oedd Mr a Mrs John Watkins yn byw ac yn gweithio. Wedi cwblhau'r cneifio ym Mlaen y Cwm byddid yn cludo'r cneifwyr i'r Gadfa a chysgu yno, pedwar gwely yn yr un llofft, nes gorffen. Fy ngwaith i oedd dal y defaid a lapio'r gwlân — hynny am ryw dridiau. Pan ddaeth y cneifio i ben gofynnwyd imi a fuaswn yn aros am ychydig ddyddiau yn hwy i gynorthwyo gyda'r cynhaeaf gwair. Felly fu.

Fferm sydd saith milltir o unrhyw gyfeiriad yw'r Gadfa, hanner ffordd rhwng Llanwddyn a Llanuwchllyn a Mawddwy. Pan ddaeth dydd Sadwrn nid oedd modd imi gael fy nghludo adref i Langynog ac felly cerdded fu raid. Cyfarwyddodd John Watkins fi ynglŷn â'r ffordd ferraf, sef dros fynydd Rhiwargor i Alltforgan, Tŷ Uchaf, Cedig, Pwlliago, Drefechan a Blaen y Cwm — taith diwrnod caled o gerdded. Taith unig iawn hefyd.

'Roedd Blaen y Cwm yn cadw tri gwas, sef Arthur Jones, William Jones (Cedig wedi hynny) a minnau, yn ogystal â morwyn o'r enw Maggie o ardal Llanrhaeadr. Gŵr tawel oedd Arthur Jones. Ar fore Sul cerddai i gapel Methodist y Llan: taith o ddwy filltir. Yna yn ôl i ginio. Yn y prynhawn cerddai filltir i'r Ysgol Fach ac yn ôl i de. Wedyn, yn yr hwyr cerddai unwaith eto i gapel y Llan. Anaml iawn y câi ei gario oherwydd mai prin iawn oedd moduron. Rhoddodd William Jones yntau flynyddoedd o wasanaeth i'r teulu.

Yr unig amser yr aem i'r tŷ oedd adeg pryd bwyd. Eisteddem wrth y ffenest' ar fainc a bwrdd hir, a bron bob pryd 'roedd hanner cosyn o gaws cartref ar y bwrdd. Byddem yn gorfod ei ddal yn erbyn y frest gan ei fod mor anodd i'w dorri.

Fel y crybwyllais eisoes, gwraig ifanc newydd briodi oedd y feistres ac un tro 'roedd un o'i chyfeillesau ifanc wedi dod i Flaen y Cwm i aros. Rhyw noson pan oedd William Jones a minnau'n cerdded am y Llan daethom i gyfarfod llanc o Gwm Rhiwarth ar ei ffordd i garu at y ferch ifanc. Wedi i ni gyrraedd adref yn hwyr y noson honno gwyddem fod y llanc yn dal yn y tŷ ac felly dyma sicrhau y byddai ei ymadawiad yn ddramatig o hyglyw. Wrth ddrws y cefn cedwid llestri llaeth ar ben y boiler golchi. Cawsom hyd i gortyn hir a chlymu'r llestri yn sownd wrth gliced y drws. Prin fod angen dweud rhagor!

Tawelach gryn dipyn oedd fy ymadawiad i â Blaen y Cwm ym Medi 1929 i fynd yn gipar ar stad Llechwedd-y-garth. Fel pob hogyn, breuddwydiwn am gael dilyn fy nhaid a'm tad a'm hewythr fel cipar ond ni ddaeth y cyfle tan 1929. F'ewyrth Bob oedd y pen-cipar bellach.

Hen dŷ ffarm urddasol yw Llechwedd-y-garth ac yn un o dai hynaf Cwm Pennant Melangell, onid yr hynaf oll. Y perchennog cyntaf, yn ôl yr hanes, oedd Thomas Thomas, gŵr gyda chysylltiadau â Phlas Downing ger Chwitffordd yn Sir y Fflint (hen gartref Thomas Pennant, awdur *A Tour in Wales*) a Chaerhun yn Nyffryn Conwy. Trwy briodas daeth Llechwedd-y-garth yn eiddo i General Gough, Caerhun.

Yn 1890, fel y cyfeiriais eisoes, daeth fy nhaid, John Lloyd, yno yn ben-cipar ynghyd â'i feibion John a Bob. Ugain mlynedd yn ddiweddarach bu gwario mawr i wneud y lle'n fwy addas ar gyfer saethu. Gwnaed i ffwrdd â'r hen ffordd o Dan y Bwlch a gwnaed dreif newydd tua milltir o hyd. Cynlluniwyd gerddi hefyd a bu hyn yn achos i lawer tyddyn ddiflannu gan fod angen y cerrig i wneud terasau.

Gyda dyfodiad cipar o'r enw McNeil, na allent gyd-dynnu ag ef, gadawodd John a Bob y stad am ryw bedair blynedd. Fodd bynnag, yn ôl y daethant wedi i hwnnw ymadael. Ond aeth Bob i'r fyddin yn 1914 a dychwelyd o'r rhyfel yn ddianaf yn 1918. Yr oedd y naill a'r llall wedi eu trwytho'n drwyadl yn y gwaith, a'r ddau, fel eu tad, yn saethwyr penigamp. Ni chredent mewn unrhyw fath o greulondeb os oedd modd yn y byd ei osgoi. Ni chredent ychwaith mewn rhoi gwenwyn yn unman na hongian ysgerbydau ar hyd y lle er mwyn creu argraff dda ar y meistri: gwyddent o'r gorau mai'r cynnyrch oedd yn bwysig. Gwaith caled ydoedd ac 'roedd yn rhaid cerdded llawer o greigiau serth a blin. Yn wir, gan fod cyn lleied o dir gwastad gellid dweud bod angen un goes yn llai na'r llall. Gwyddent trwy brofiad am bob llwybr llwynog ac am bob twll ac agen lle byddent yn magu; felly hefyd gyda nythod. Dysgais lawer oddi wrth F'ewyrth Bob ac mae fy nyled iddo'n fawr. Byddai'n fforchi darn o lwybr i gael gweld a oedd yno ôl troed llwynog; os oedd, byddai'n gosod trap gan wybod bod llwynog yn rhoi ei droed yn yr un fan bob tro. Pan oeddwn yn hogyn arferai fy anfon gyda gwn a dwy neu dair catrisen i geisio cwningen yn fwyd i'r ffureti. Yn aml iawn deuwn yn ôl heb yr un wningen ond wedi tanio'r catris i gyd. Âi yntau allan wedyn ac, yn ddi-ffael, ar ôl un ergyd, deuai'n ôl gyda chwningen.

Yr adeg honno, yn niwedd y dauddegau, rhyw lusgo ymlaen heb lawer o lewyrch yr oedd pethau ar y stad, a'r saethu'n cael ei osod yn flynyddol i wahanol gwmnïau. Ond yn 1930 daeth mab General Gough, sef Capten W.H.J. Gough i fyw yn Llechwedd-y-garth. Yr oedd ef wedi priodi merch o Rwsia, merch hardd ryfeddol. Bu gwelliannau sylweddol. Cedwid llawer o weithwyr a morynion a dau gipar, sef F'ewyrth Bob ac Albert Davies yn ail iddo. Cefais innau fy nghyflogi fel trydydd cipar. 'Roeddwn hefyd i edrych ar ôl y cŵn a'r ieir a gofalu am goed tân gan fod y coed a'r glo yn cael eu cario i bob ystafell yn y bore er mwyn i'r morynion eu cael yn gyfleus wrth law.

Yr arfer oedd cael cinio *(dinner)* am wyth o'r gloch yr hwyr ac 'roedd yn ofynnol i'r gogyddes, Mrs Brown, ofalu bod ganddi gig. Ein cyfrifoldeb ni'r ciperiaid oedd edrych am y giâm ond un tro, am ryw reswm, nid oedd yno gig.

Daeth Mrs Brown ataf a gofyn imi ladd dwy o'r cywennod wyandotte, serch eu bod yn ymyl dodwy, a'u dodi ar y bwrdd mawr yn y gegin. Ymhen ychydig daeth Mrs Gough i'r gegin a rhoi andros o gerydd i'r gogyddes am ladd dwy o'r ieir ond achubwyd y sefyllfa pan ddaeth gŵr Mrs Brown, yr 'handyman', trwy'r drws a dweud, 'Look at their combs, Madam. They would never lay.' 'Doedd y feistres ddim callach ac fe dawodd yn sydyn.

Fodd bynnag, am flwyddyn yn unig y bu'r Goughs yn byw yn y Plas ac o ganlyniad i or-wario a mynd i drafferthion ariannol bu'n rhaid gosod y stad. Cymerwyd y saethu gan deulu W.H. Herbert, Birmingham, a ddefnyddiai'r lle fel tŷ gwyliau fwy neu lai. Aeth pethau ar i waered ac yn 1932, a minnau newydd briodi, cwtogwyd nifer y gweithwyr ac fe'm cefais fy hun yn ddi-waith. Bu'n rhaid troi fy ngolygon tua chwarel lechi Graig West.

Ar y pryd gweithid y chwarel hon, sydd ar y ffordd i Bennant Melangell, yn llwyddiannus iawn gan Commander B.B. Bevan, Croesoswallt. 'Roedd ynddi ddwy lefel, tua dau gan llath o dan y ddaear, a thua deg ar hugain o ddynion yn gweithio ynddi — rhyw ddeuddeg dan y ddaear a'r gweddill yn y sied fawr a'r gwaith allanol. Y rheolwr oedd Mr Richardson o Wrecsam a'r goruchwyliwr oedd John Parry Jones, un oedd wedi treulio'i oes mewn chwareli llechi. Dyn bychan ydoedd ac yn cnoi baco'n ddi-baid. Ef fyddai'n barnu a oedd unrhyw werth yn y slabiau mawr a ddeuai allan ar y wagen i'r warth, sef yr iard. Os oeddynt o ansawdd derbyniol fe'u cludid i mewn i'r sied fawr i'w llifio i wahanol fesuriadau gan ofalu bob amser eu cadw'n wlyb. Wedyn byddai'r holltwyr yn cymryd drosodd ac wedyn, ar ôl y rheiny, byddai'r naddwyr yn gorffen pob llechen i'r union fesur priodol. Yna fe'u cludid hwy allan a'u gosod yn rhengoedd a'u cyfrif yn barod i'w gwerthu. 'Roedd y llechi hyn gyda'r rhai gorau yng Nghymru ac 'roedd galw mawr amdanynt.

Yn 1935, a minnau yng ngofal y caban powdr, daeth Sarjiant Jones o Lanfyllin heibio i weld a ellid caniatáu adnewyddu'r drwydded. Euthum gydag ef i'r caban a oedd wedi'i rannu'n ddau, un rhan i'r powdr a rhan arall i'r caps a'r ffiwsys. Aeth y Sarjiant i mewn dan sgwrsio'n rhadlon ac estynnodd ei getyn a'i danio! Pwy oeddwn i i ddweud 'Na'?

Fel y gellid disgwyl ymhlith criw o weithwyr, amryw ohonynt yn fechgyn ifainc, ceid llawer o hwyl a thynnu coes. Gweithiai George Richardson, mab y rheolwr, mewn swyddfa bren fechan ac ymhen amser fe ddodwyd ffôn ynddi. Os byddai'r ffôn yn canu a neb yn y swyddfa i'w ateb fe godai John Parry Jones, y goruchwyliwr, oddi ar ei stôl a cherdded i'r swyddfa i ateb yr alwad. Gwelodd rhai o'r bechgyn fod yma gyfle am hwyl ac, yn aml iawn, pan wyddent fod y swyddfa'n wag, dalient ochr cŷn oer ar y llif nes creu sŵn cloch. Wedyn gwylient yr hen John Parry'n sgrytian mynd tua'r swyddfa, yn codi'r ffôn a gweiddi 'Helô! Helô! Helô!' A neb yn ateb.

Yng Ngorffennaf 1932 daeth y rheolwr ataf a gofyn a fuaswn yn fodlon gweithio'r wythnos wyliau gyda Dai Tibbott tra byddai'r dynion eraill i ffwrdd. Mae'n debyg mai'r rheswm pam y gofynnwyd i ni'n dau oedd y ffaith ein bod yn byw o fewn cyrraedd hwylus i'r chwarel. Ein tasg oedd clirio'r gwastraff yn y ddwy lefel dan y ddaear, llwytho'r sbwriel ar wagen a'i gyrru allan i'r domen, sef pellter o ryw dri chan llath. Rhaid cyfaddef mai teimlad od iawn oedd bod i lawr yn y fan honno wrth olau canhwyllau, a'r lle'n wlyb ac oer. Un diwrnod, ar ôl gwneud sawl siwrnai, sylwais nad oedd Dai, y tro neilltuol hwn, wedi gosod y polyn a ddefnyddiem yn frêc i arafu'r wagen. 'Roedd hwnnw'n angenrheidiol gan fod rhediad yn y rheiliau heb sôn am y ffaith ein bod yn gorfod croesi'r ffordd. 'Beth am y brêc, Dai?' gofynnais, ond yr unig ateb a gefais oedd, 'Neidia arni!' Dyma'r ddau ohonom yn neidio ar y wagen ac, wrth gwrs, 'roedd hynny'n peri iddi gyflymu mwy fyth. I ffwrdd â ni! Cadwem ein pennau i lawr nes dod allan i'r awyr agored ond, cyn gynted ag y daethom i olau dydd, beth a welem o'n blaenau ond tanc dŵr newydd sbon danlli wedi'i adael ar ein llwybr. 'Tanc, Tanc!' meddwn, fel pe bai hynny, trwy ryw ryfedd wyrth, yn mynd i'w symud o'r ffordd. Dal ei dir a wnaeth y tanc ac fe'i trawyd nes oedd fel consertina!

Pum mlynedd a dreuliais yn chwarel Graig West. Yn 1937 daeth neges oddi wrth Mr Henry Jones, asiant y stad, yn gofyn imi fynd i'w gyfarfod yn y New Inn. Dywedodd wrthyf fod yr ail gipar, Albert Davies, yn dod i oed ymddeol a gofynnodd imi a fuaswn yn cymryd ei le. Golygai hyn y cawn gyd-weithio gyda F'ewyrth Bob unwaith eto. Y cyflog oedd punt a deunaw swllt yr wythnos. Bu peth dadlau pwy a ddylai dalu am drwydded gwn, sef deg swllt ond yn y diwedd dywedodd yr asiant, 'Wnawn ni ddim hollti blew ynghylch hynny.' Yr unig anhawster oedd fod y cyflog yn cael ei anfon o Lanrwst bob rhyw chwe wythnos ac, o ganlyniad, 'roedd hi'n bur anodd talu'r ffordd o ddydd i ddydd. Fodd bynnag, 'roedd rhyw ugain punt o gil-dwrn gan y boneddigion yn gaffaeliad mawr at brynu pethau fel dillad ac esgidiau.

Gwaetha'r modd, torrodd y rhyfel allan yn 1939 a bu'n rhaid ymadael unwaith eto oherwydd na fedrai'r saethwyr gario ymlaen; 'roedd y rhan fwyaf ohonynt wedi cael eu galw i'r fyddin. Cefais waith ar fferm ger Weston Rhyn yn Swydd Amwythig a chael cyfle i gyfeillachu â llawer o garcharorion rhyfel o'r Eidal. Ymhen rhyw flwyddyn gadewais y fan honno a mynd i weithio i chwarel Llanddu ger Llanblodwel. Llwytho'r wageni oedd fy ngwaith yno. 'Roedd dau ddyn i bob wagen, un bob ochr, a chaem naw a thri chwarter ceiniog y dunnell rhyngom. Byddem yn llwytho rhyw bedair ar ddeg o wageni mewn deg awr. Enw fy nghyd-weithiwr oedd John H Lewis, ond enw'r chwarelwyr arno oedd 'Smiler' am ei fod yn llawn hwyl a gwên ar ei wyneb bob amser. Un diwrnod, fodd bynnag, bu bron i'r wên ddiflannu. 'Roeddym yn agos i waelod y graig ac yn uchel uwch ein pennau 'roedd carreg tua thunnell o bwysau. Toc, dyma floedd o ben arall y chwarel — 'Look out!' 'Roedd y cerrig mân a'r pridd yn dechrau gollwng o dan y garreg ac i lawr â hi tuag ataf a bowlio ar fy ôl. Ni chredaf i mi erioed redeg yn gyflymach nag a wneuthum y tro hwnnw!

Ar ôl ymadael â'r chwarel euthum yn ôl i weithio ar y tir yn Weston Rhyn ac wedyn, am yn agos i bum mlynedd, ym Mrogyntyn, stad Arglwydd Harlech ger Croesoswallt. Wedyn bûm yn gweithio ar stad Bryncunallt yn y Waun (Chirk) ac yn byw yn yr un rhes o dai â llawer o lowyr; pobl glos a charedig dros ben.

Yna, yn 1949 daeth gair fod eisiau cipar a'i wraig i fyw ym Mhlas Llechwedd-y-garth. Gan fy mod wedi bod yno'n gipar ddwywaith o'r blaen nid oedd angen meddwl ddwywaith. Dyna fi'n ôl eto! 'Roedd llawer wedi newid, a chwmni newydd, sef 'Warwickshire Syndicate', saith neu wyth o wŷr busnes, yn rhentu'r stad a'r saethu ers rhyw dair blynedd ynghynt. Derbyniwyd y telerau a symudodd Dilys a minnau i mewn ar y cyntaf o Hydref.

Nid oedd dim o'r hen ddwylo ar gael ac yn wahanol i fel 'roedd hi cynt 'roedd cyfrifoldeb arnaf i ofalu am bopeth, gyda'm priod yn gwneud yr holl waith tŷ. 'Roedd hyn yn bwysau trwm arni ac ni allwn innau roi llawer o gymorth iddi gan fod gennyf gymaint i'w wneud y tu allan. Bu'n rhaid gweithio'n galed iawn i gael y lle i ryw fath o drefn. 'Roedd y cwmni wedi prynu pum cant o ffesantod a'u gollwng yn y coedydd ond yn fuan iawn 'roeddwn yn darganfod pennau ac adenydd ym mhobman. 'Roedd llwynogod a gwalchod yn creu difrod mawr. Dylesid bod wedi difa'r rheiny fisoedd ynghynt ond, i bob pwrpas, yr un pryd â'r tymor saethu yr oeddwn wedi dechrau yno. Yr ail haf galwyd arnaf i fferm yn ymyl Stratford-upon-Avon am chwe wythnos i helpu i fagu tair mil o ffesantod ac wedyn eu cludo i Lechwedd-y-garth a'u gollwng. Er i mi grafu'n daer arnynt 'roedd y meistri'n gyndyn iawn o gyflogi cipar arall i'm helpu ac o ganlyniad teimlwn yn ddigalon iawn a'r gwaith yn dechrau fy llethu. Fodd bynnag, yn 1951, ar ôl llawer iawn o gwyno, cyflogwyd ail gipar, sef William Jones o Langynog, gŵr a oedd yn dra chyfarwydd â dal cwningod a thrafod cŵn. Bu'n weithiwr rhagorol ac fel yr âi'r tymhorau rhagddynt caed gwelliant sylweddol. Cymerai'r cwmni fwy o ddiddordeb hefyd ac 'roeddynt yn barotach i wario. Ond law yn llaw â'r llwyddiant ceid mwy a mwy o botsio.

O dipyn i beth daeth Llechwedd-y-garth yn lle poblogaidd iawn, a llawer o fynd a dod yno. Y drefn oedd fod y cwmni'n cyrraedd brynhawn Iau ar gyfer deuddydd o saethu, Gwener a Sadwrn, ac yna ymadael fore Sul. Bob yn ail wythnos y digwyddai hyn. Gyda'r blynyddoedd, 'roedd mwy a mwy o wragedd a chyfeillion yn dod gyda'r cwmni. Cofiaf un gŵr bonheddig yn cyrraedd gyda phâr o ynnau newydd ac er mwyn cael ymarfer aed â'r trap colomennod clai allan i'r lawnt. Wedi tanio rhyw hanner dwsin o gatris fe ffrwydrodd y faril dde. 'Roedd ynddi hollt tua thair modfedd o hyd. Achosodd hynny gryn ddychryn i bawb ac yn enwedig i'r gŵr a'i taniodd.

Bu damwain gyffelyb yn nechrau'r ganrif hefyd. Yr adeg honno 'roedd helynt cŵn-lladd-defaid ar fynyddoedd Cwm Pennant a'r Berwyn, a'r adeg honno hefyd yr oedd hen ynnau *muzzle-loader* yn dal i fod yn eithaf cyffredin. Gyda'r gynnau hynny 'roedd rhaid rhoi'r powdr a'r siots i lawr blaen y faril a'u pwnio gyda gwialen, ac yna capsen wrth y morthwyl. Unwaith y byddid wedi llwytho'r gwn 'doedd dim modd dad-wneud hynny heb ei danio. Daeth amryw o ffermwyr ynghyd i hela'r cŵn-lladd-defaid a buont yn cerdded drwy'r dydd heb gael unrhyw lwc. Wedi cyrraedd adref clymodd un ffermwr ei wn wrth olwyn wagen a chymryd cortyn hir i'w danio. Ffrwydrodd y faril. Pan glywodd gŵr y Plas am y digwyddiad mynnodd fod y gwn yn cael ei hongian yn hen gegin y Plas ac yno y bu am flynyddoedd lawer.

Yn ystod y pumdegau bu'n rhaid gwerthu rhannau o stad Caerhun yn ogystal â'r hen blas ei hunan. O ganlyniad daethpwyd â rhywfaint o eiddo'r teulu i'w cadw yn Llechwedd-y-garth. Ymhlith y pethau hynny 'roedd chwe darlun o forwr, sef Capten Walter Griffiths, Brongain, Llanfechain. Fe'u cedwid mewn ystafell fechan yn rhan uchaf y tŷ. Maes o law bu'n rhaid i deulu'r Goughs werthu stad Llechwedd-y-garth hefyd oherwydd prinder arian unwaith eto. Gwerthwyd rhywfaint o'r eiddo yng Nghroesoswallt ond aeth y pethau mwyaf personol a gwerthfawr i Lundain i gael eu cadw'n ddiogel ac ymhlith y rheiny 'roedd y chwe darlun.

Yn y chwedegau cynnar, a minnau bellach yn gweithio fel swyddog pla i'r Weinyddiaeth Amaeth, daeth cais gan Lyfrgell Genedlaethol Cymru, trwy'r papur lleol, am unrhyw wybodaeth ynglŷn â'r darluniau hyn. Gan fod Dilys a minnau wedi bod yn eu gwarchod am rai blynyddoedd gallem gynnig rhywfaint o wybodaeth er nad oeddym yn ymwybodol o'u gwerth na dim arall ar y pryd. Cawsom wybod fod un darlun wedi cael ei werthu yn Sotheby's, Llundain am chwe mil o bunnau i ryw dramorwr a geisiai gael trwydded i'w allforio. Apeliwyd yn erbyn hyn gan y Llyfrgell Genedlaethol, a hynny'n llwyddiannus. O ganlyniad, fe'i prynwyd gan y Llyfrgell ei hunan ac yno, yn Aberystwyth, y mae bellach. Yr arlunydd oedd neb llai na'r enwog Richard Wilson o Benegoes.

Mae un hanesyn arall o'm cyfnod fel cipar na allaf beidio â'i grybwyll. Ar rai boreau byddai ffesantod y Plas yn crwydro'n heidiau i lawr y ffordd i gyfeiriad pentref Llangynog. Byddwn innau yn eu dilyn a'u gyrru'n ôl tua'r Plas. Yr oeddwn ar berwyl felly un bore yn 1961 pan welais ddyn gwyllt yr olwg yn dod i fyny'r llechwedd i gyfeiriad y ffordd. Tynnodd sach gynfas oddi ar ei gefn a'i gwthio i'r rhedyn. Yna daeth yn ei flaen i'r ffordd a dywedodd, 'I have a book to show you but first of all I want to go to the village.' Dywedais innau y buaswn yn aros amdano. Daeth yn ei ôl ymhen ysbaid a dechrau siarad. Dywedais innau mai cipar oeddwn a gofynnais am ei enw a gofyn iddo beth oedd arno'i eisiau yn y cae. Nid oedd nac enw na dim arall i'w gael, dim ond rhyw gleber gwirion. Dywedais wrtho y byddai'n rhaid i mi gael ei enw cyn y câi fynd o'm golwg ond nid oedd dim yn tycio. Wrth lwc, daeth William Jones, fy nghyd-gipar heibio a gofynnais iddo, yn Gymraeg wrth reswm, a fuasai'n ffonio'r heddwas ym Mhen-y-bont-fawr.

Ymhen rhyw awr, a minnau wedi bod yn ceisio dal pen rheswm gyda'r dieithryn amheus ac yntau'n ysgwyd rhyw ddarn o haearn o'm blaen, cyrhaeddodd yr heddwas. Gofynnodd am enw'r gŵr ac o ble'r oedd yn dod ond ni chafodd yntau ateb synhwyrol o unrhyw fath. Aeth yr heddwas ati wedyn i archwilio'i fag a chafodd hyd i ddarn o bapur ac arno'r enw 'Boynton'. Trodd ataf a dweud na allai ei gymryd i'r ddalfa am y rheswm syml nad oedd, hyd y gwyddem, wedi cyflawni unrhyw drosedd. Fodd bynnag, ychwanegodd ei fod yn cytuno â mi fod rhywbeth mawr o'i le arno ac mai i mewn y byddai'n fuan iawn. Mor drychinebus o wir oedd y geiriau hynny oherwydd ymhen pythefnos 'roedd y gŵr hwnnw wedi saethu a dallu'r heddwas Arthur Rowlands ger Pont-ar-Ddyfi, Machynlleth. Hyd heddiw, arswydaf wrth feddwl beth a allasai fod wedi digwydd ar ffordd Cwm Pennant y bore hwnnw.

Yn ystod y cyfnod y buom yn Llechwedd-y-garth gwnaeth Dilys a minnau amryw o ffrindiau o gylch eang a dod i adnabod pobl oedd yn werth eu hadnabod. Cawsom lawer o bleser yng nghwmni'r boneddigion, rhai diddorol a hwyliog dros ben. 'Roedd bod yn eu cwmni yn rhoi golwg a gwedd newydd ar fywyd.

Yn 1962, ar ôl tair blynedd ar ddeg yn Llechwedd-y-garth, cefais gynnig swydd gyda'r Weinyddiaeth Amaeth. Golygai hyn deithio i wahanol ardaloedd yn yr hen Sir Drefaldwyn. Fy mhrif gyfrifoldeb oedd gofalu am ryw ddeng mil o aceri o dir comin, archwilio faint o bla cwningod a llwynogod oedd yno, a threfnu i'w difa. 'Roeddwn hefyd yn cynnig cymorth a chyngor i ffermwyr.

Mae tua hanner tir comin cyffiniau'r Berwyn yn ymyl Llangynog. Er fy mod yn hen gyfarwydd â'r math hwn o waith 'roedd ymweld â ffermydd a thrafod eu problemau yn newydd i mi ond fe wneuthum lawer o ffrindiau. Fe ddysgais lawer hefyd. Un peth a ddysgais oedd fod rhyw bwrpas i bopeth yn y Greadigaeth. Yn ystod fy mlynyddoedd fel cipar tueddwn i fod yn llawdrwm ar bopeth nad oedd yn ffafriol i ffyniant ffesantod a grugieir. Bellach, edrychwn ar bethau o berspectif newydd, i raddau. Bu adeg pryd y byddwn yn barod i ddifa pob llwynog dan haul; erbyn hyn, 'doeddwn i ddim mor siŵr. Mae'n wir bod llwynogod yn peri colledion yn ystod y tymor wyna ond am weddill y flwyddyn y maent yn ddigon diniwed. O ystyried eu niferoedd, cymharol fychan yw'r difrod a achosir ganddynt.

Wedi ymddeol yn 1974, cefais fwy o hamdden i ddilyn fy niddordebau. Un o'r diddordebau hynny oedd gwneud ffyn, fel y bu fy nhad a'm hewythr yn ei wneud o'm blaen. Gwneuthum ugeiniau lawer ohonynt yn ystod fy oes a'u harddangos mewn sawl Ffair Grefftau.

Ymddangosais fel ecstra mewn dwy ffilm hefyd, sef y ffilm Gymraeg ar hanes bywyd Ann Griffiths yn 1988 (fi oedd y clochydd), a'r un Saesneg ddiweddar, 'The Englishman who went up a hill and came down a mountain'.

Yn 1975 ymunais â Chôr Meibion Pen-y-bont-fawr, côr adnabyddus mewn eisteddfodau a chyngherddau. Ym Mawrth 1993, wedi deunaw mlynedd o wasanaeth a llawer o bleser, ymddeolais o'r côr.

Yna, yn Nhachwedd 1994 cefais un o brofiadau mwyaf cofiadwy fy mywyd, sef ymweld â'r Wladfa ym Mhatagonia yng nghwmni deg ar hugain o Gymry Cymraeg o wahanol fannau yng Nghymru. Wedi hedfan o Heathrow i Baris ac oddi yno i Madrid dyma gyrraedd Buenos Aires yn hwyr drannoeth. Cawsom ddau ddiwrnod yno cyn treulio wythnos yn Nhrelew ac wedyn Esquel. Treuliasom weddill yr amser yn ardal Cwm Hyfryd a Mynyddoedd yr Andes. Taith i'w chofio yn wir.

Teimlaf fod fy Nghreawdwr wedi bod yn dda wrthyf. Cefais iechyd da heb ddim mwy na rhyw fân anhwylderau o dro i dro. Do, bu bywyd yn felys ac mae'n parhau i fod, diolch i'r drefn.

Craig y Llan a'r Rheilffordd

O gyrraedd Llangynog am y tro cyntaf mae hen Graig y Llan yn tynnu sylw gan ei bod yn codi i uchter o 1750 troedfedd ac fel pe'n gwarchod y pentref. Mae yma ôl gwaith llechi a cherrig ac ar ei chopa mae olion Rhufeinig gyda chlawdd yn eu hamgylchynu. Cofier mai rhan o'r Berwyn ydyw. Ar un ochr iddi mae Cwm Llanhafon ac ar yr ochr arall Cwm Bychan y Waun lle'r arferid cloddio am blwm.

Bu gŵr o'r enw Mr Savin yn gweithio ar y graig hon. 'Roedd ganddo geffyl tân *(traction engine)* i gludo llechi i Borth-y-waun. Gydag eraill, bu ef yn gyfrifol am drefnu'r rheilffordd a ddaeth i'r dyffryn. Casglwyd llawer o arian yn Nyffryn Tanat tuag at gostau'r rheilffordd ond bu'n rhaid aros yn hir cyn gorffen y gwaith oherwydd bod llawer o broblemau i'w goresgyn. Amheuai rhai na ddeuai byth. Dyna yw ergyd yr englyn hwn o waith Alarch Glan Dyfi, siopwr y Llan ar y pryd:

> Yn y 'Mwythig bu methiant; — y relwe
> Mor hwyliog gladdasant;
> Ni ddaw i'r plwy' meddai'r plant
> Relwe ond cert John Rolant.

Hen flaenor Wesle a oedd yn berchen cert a mul ac yn cario hyd y pentref oedd John Rowland, Penyfelin.

Ffordd y Bala

Ychydig dros gan mlynedd yn ôl y gwnaed y ffordd newydd hon dros y Berwyn i'r Bala. Byddai ffermwyr Dyffryn Tanat yn cynhyrchu ŷd ac yn ei gludo dros y mynydd i'w werthu yn Y Bala a chwynent yn arw am gyflwr yr hen ffordd. Felly cafwyd Mesur Seneddol i'w gwella.

Yn Neddf Gyntaf Sir Drefaldwyn *(First Montgomeryshire Act)* 1769 penodwyd ymddiriedolwyr yn y gwahanol ardaloedd i sefydlu Tyrpeg. Byddai'n rhaid i ddefnyddwyr y ffordd dalu toll wrth fynd heibio'r Tyrpeg. Telid 3c am bob *carriage and pair*; 2g am lwyth trwmbel; 1g am geffyl neu ful; 10c am ugain o wartheg, a 5c am ugain o foch, ŵyn neu eifr.

Mae'n debyg mai personiaid yr ardal oedd fwyaf amlwg ymysg yr ymddiriedolwyr. Yn eu plith yr oedd Thomas Jones, Ficer Pennant a fu wedi hynny'n ficer yn Llanwddyn, a Dr Worthington, Ficer Llanrhaeadr, gŵr a wnaeth gymaint i wella ffyrdd Dyffryn Tanat.

Cynhaliwyd cyfarfod cyntaf yr ymddiriedolwyr ar 20 Ebrill 1769 yn nhŷ Mr John Morris, Goat, Llanfyllin. Trosglwyddwyd y pontydd a adeiladwyd yn yr ardal i ofal y Cyngor Sir yn 1821.

Mewn oes ddiweddarach, coffa da am George a Mary a arferai eistedd wrth lidiart y mynydd, sef y llidiart ar draws y ffordd i rwystro'r defaid rhag crwydro. Caent ambell geiniog gan fodurwyr am agor a chau'r llidiart. Ni wn fawr o'u hanes ond eu cartref olaf oedd Buarth Glas, Cwm Rhiwarth.

Y Clwb Mawr

Pwrpas y Clwb Mawr, fel y'i gelwid, oedd gweinyddu rhyw fath o gynllun yswiriant ar gyfer salwch, anaf neu farwolaeth. Byddai'r aelodau'n talu ychydig geiniogau'r wythnos i'r gronfa ac yn derbyn cynhaliaeth ariannol mewn cyfnod o galedi pryd na allent ennill cyflog neu ar farwolaeth y penteulu. Mewn gwirionedd, gwladwriaeth les ar raddfa leol. Byddai rheolau caeth iawn i'w cadw. Os oedd rhywun yn derbyn arian o'r Clwb ni chaniateid iddo ymgymryd ag unrhyw fath o orchwyl, hyd yn oed cario dŵr neu gario torth o'r siop. Ni chaniateid bod allan ar ôl rhyw amser penodedig ychwaith. Arferent gyfarfod o flaen New Inn a'r Siop Newydd unwaith y flwyddyn a'r ysgrifennydd, John Watkins, yn galw'r enwau. Yna cerddent bob yn ddau tu ôl i'r Band. David Roberts y saer, Pen-y-bont-fawr fyddai'n arwain a David Jones, Y Cwm yn taro'r drwm mawr. Cerddent hyd at Hen Stent ac yn ôl at Ochr y Graig ddwywaith neu dair. Wedyn aent i'r New Inn i gael bara, cig eidion ac efallai beint o gwrw. Gwisgent eu dillad gorau, het galed ddu, menyg gwynion a sash coch dros yr ysgwydd a charient ffyn hir gyda nobiau coch ar eu pennau. Ar ddiwrnod angladd gwisgid band du o gwmpas yr het, sash du, menyg du a band du ar y fraich.

Y trysorydd oedd Mr R. Jones, y crydd, a oedd yn byw ym Mhen Llan gyferbyn â'r ysgol. Ef oedd tad y diweddar D.F. Jones a fu'n ysgolfeistr yn Llangynog a Llanrhaeadr.

Gwaetha'r modd nid yw'r manylion ar gael erbyn hyn gan fod cymaint o newid wedi bod a'r hen drigolion wedi ymadael â ni. Daeth y cyfan i ben tua dechrau'r Rhyfel Byd Cyntaf.

Yr oedd yna Glwb Bach hefyd a'r un pwrpas oedd i hwnnw ond ymddengys oddi wrth y lluniau fod modd i rai ifanc ymaelodi â'r Clwb Bach. Ceid peth gwahaniaeth yn y wisg hefyd. Bellach, mae eiddo'r ddau Glwb yn cael eu cadw yn yr Amgueddfa Werin yn Sain Ffagan.

Ysgolion

Yn ôl haneswyr, bu ysgolion mewn llawer man yn Llangynog. Ceir cyfeiriad at Dŷ Coch, sef iard berthynol i'r Dafarn Newydd (New Inn) erbyn hyn ond yr adeilad cyntaf a godwyd yn benodol fel ysgol oedd un ar ganol y Llan wrth ochr y fynwent, a hynny yn 1797 gan ŵr o'r enw Evan Jones gyda rhodd o £20 at ei chynnal.

Derbyniwyd rhywfaint hefyd gan Gronfa Bevan yn 1825-27 ac yn 1836-37. Wedi hynny bu ysgol gan Richard Vaughan yng Nghell y Bedd, Pennant ac yn y Llan yn ddiweddarach.

Cyfeirir gan ddirprwywyr 1847 at nifer o ysgolion preifat. Credir bod ysgol wedi'i chynnal o dan yr hen Gapel Methodist ar gwr Hendre Fawr ac un o'r enw Hughes yn athro yno ac yn athro da iawn mae'n debyg. Bu ysgol arall o dan hen Gapel Penygeulan (Annibynwyr). Ceir enw un o'r dirprwywyr, Abram Thomas (1849) ac awgrymid mai pregethwyr Annibynnol o Goleg Aberhonddu am chwarter blwyddyn ar y tro oedd yr athrawon. Nifer o *Dissenters* oedd yn gyfrifol am eu cyflogau. Ychydig o arian a godwyd yn lleol at gadw'r ysgol gan mai plant chwarelwyr a mwynwyr tlawd oedd y rhan fwyaf o'r disgyblion.

Yn 1870 daeth y Ddeddf Addysg newydd ac fe sefydlwyd Bwrdd Ysgol i'r pentref. Fel mewn sawl lle arall bu tipyn go lew o gecru rhwng Eglwyswyr ac Anghydffurfwyr ynglŷn ag ethol aelodau'r Bwrdd. Ymddengys mai'r Anghydffurfwyr a orfu. Aed ati ar unwaith i adeiladu ysgol a thŷ.

Sais o'r enw Lockwood oedd yr ysgolfeistr cyntaf. Dilynwyd ef gan Gymro o'r enw Davies a dilynwyd hwnnw wedyn gan D.F. Jones, athro da iawn. Yna daeth J.O. Rees a symudodd i Lawr-y-glyn yn 1921. Robert William Evans, mab Robert a Jane Evans, Nant y Maes, Pennant a'i dilynodd ef. Wedyn M.E. Edwards, Arddleen, ac yna, William Davies ac yn olaf, William Evans hyd nes y caewyd yr ysgol yn 1972.

Cafwyd ysgol newydd ym Mhen-y-bont-fawr tua'r un

adeg ag yr adeiladwyd yr Eglwys newydd ac fe gostiodd £617.

Mewn ewyllys ddyddiedig Medi 21, 1721 gadawodd gŵr o'r enw Thomas Roberts o Greenwich ('in the county of Kent, late of Llangynog') arian i brynu tir rhydd-ddeiliadol yn y plwyf a'r rhent i gyflogi ysgolfeistr i ddeuddeg o blant tlodion — 'born inhabitate and ages of seven years and under fourteen, to spell and write distinctly, cost account as far as the golden rules of three, including the Christian Religion'.

Enwau Lleoedd

Fel ym mhob ardal, mae yma enwau lleoedd diddorol. Ceir rhai sy'n gwbl amlwg eu hystyr oherwydd eu bod yn cyfeirio at leoliad arbennig, er enghraifft, ffermydd Blaen y Cwm, Tan y Coed, Minffordd, Ty'n y Pant, Glanyrafon, Tan y Foel, Pengwern a Llwyn Onn. Yr un modd gydag afonydd a nentydd sy'n cyfleu eu lleoliad neu eu natur: er enghraifft, Nant Drefechan, Nant Llwyn Gwern, Nant Wyllt ac yn y blaen.

Nid yw enwau tiroedd a chaeau mor hawdd ac oherwydd hynny y maent, os rhywbeth, yn fwy diddorol. Cymerer er enghraifft 'Bitfel' (lle i garcharu anifeiliaid crwydr); 'Cytir' yn Nhan y Foel a hefyd yn y Dafarn Isaf. Mae 'erw' neu 'dryll' yn gyffredin ac yn golygu tir addas i'w aredig. O bosib' fod yr un peth yn wir am 'Hirdir' (Graig Las), 'Clwt' (Tan y Llwyn) a 'Derni' neu 'Darnau' yn Rhydfelin.

Enw diddorol arall yw 'Dryll-y-gogor', ac ystyr gogor yn y fan yma yw'r mesuriad a heuid ar lain o dir. Yna mae Eirior Gwella (Graig Las), enw sydd wedi'i lygru ar lafar, mae'n debyg, ac anodd iawn onid amhosibl yw olrhain ei ystyr bellach. Dyma rai enwau eraill go ddiddorol: Euclud, Cae'r Enawr, Cae Diffwrn, Erw Erwydd, Llosgwrn, Cae Ddiliad, Cae Aneraw, Cyfie, Grymie Hirion, Erw Pen Rhaw, Clwt y Swch, Cae'r Impyn, Llain Sidan, Tir March, Cae Caib, Cae'r Go, Heol Aradr y Cwlltwr, Erw Coch y Caib, Tir Pâl, Erw Gwellt, Byrdir, Tir Hir, Tir Gwyn, Tir neu Darn Tair Ceiniog.

Eithaf cyffredin yw'r enw 'Gwern'. Mae gan lawer o ffermydd wern neu lain o dir gwaelod sy'n addas i dir gwair, yn aml ryw filltir neu ddwy oddi wrth y tiroedd eraill.

Nid wyf yn ddigon gwybodus i fentro dehongli rhai o'r enwau uchod. Wedi'r cwbl, mae enwau lleoedd yn faes arbenigol iawn ond byddai'n ddiddorol pe byddai rhywun cymwys yn rhoi goleuni ar rai ohonynt. Y mae yma gyfoeth o enwau llwybrau a mynyddoedd hefyd ac mae lle i ofni yr ânt yn angof wrth i'r hen frodorion brinhau a dieithriaid yn cymryd eu lle.

Chwedl a Choel

Erbyn heddiw nid oes gymaint o sôn am ysbrydion ond yn yr hen amser 'roedd traddodiad fod rhyw ysbryd neu'i gilydd mewn mannau neilltuol megis hen dai, ffyrdd, afonydd ac yn y blaen. Ni cheir adrodd chwedlau ychwaith fel yn y dyddiau a fu.

Faint o blant Llangynog heddiw sy'n gwybod am y chwedl ynglŷn â Moel Dinmoel? Ar ei chopa mae darn o dir ar ffurf cadair helaeth ac fe honnid fod cawr wedi neidio i'r cwm islaw lle mae ffynnon ac ôl ei sawdl.

Fersiwn arall yw ei fod wedi disgyn ar ochr mynydd Tyddyn yr Helyg gan greu pant yn y mynydd mewn man a elwir hyd heddiw yn Bant y Cawr.

Y mae'r chwedl am Felangell yn gwbl gyfarwydd, wrth gwrs, ac fel pob chwedl o'r fath mae'n debyg fod rhywfaint o sail iddi ond bod cenhedlaeth ar ôl cenhedlaeth wedi ychwanegu ati a'i lliwio wrth ei hadrodd o glust i glust ganrifoedd yn ôl.

Tybed ai chwedl gwbl ddi-sail yw'r sôn fod Gwylliaid Cochion Mawddwy yn arfer mynychu Cwm Llech ac yn cuddio'u hysbail yn yr ardal? A oes yna hefyd ysbryd mewn gwirionedd wrth y twnnel ger y Llwybr Newydd ac ar Darren y Gigfran a Chraig Pistyll?

Treuliai'r hen bobl lawer o amser gyda'r nos yn ymgomio o dŷ i dŷ ac mewn mannau yma ac acw hyd y ffyrdd. Byddai John Jones, Tan y Bwlch, er enghraifft, yn aros ar y groesffordd yn y tywyllwch ac yn disgwyl i rywun ddod heibio. Os deuai rhywun ar ei hynt byddai'n cyd-gerdded ag ef am beth amser ac yn holi a sgwrsio cyn troi'n ôl a sefyll unwaith eto yn yr un fan nes deuai rhywun arall. 'Roedd hyn yn beth eithaf cyffredin yn y dyddiau hynny cyn bod na radio na theledu. Fel hyn yr âi'r newyddion o gwm i gwm.

Elusennau

Yn 1730, yn ôl ewyllys Elizabeth Lloyd, Glanhafon 'roedd rhent Tŷ Coch, Rhiwarth i fynd i'w hwyr, Henry Lloyd, ar yr amod ei fod yn rhannu punt rhwng tlodion Llangynog a phunt rhwng tlodion Pennant y diwrnod cyn y Pasg.

Gadawodd Morris Jones, Cwm Llech rent cae i'w

rannu rhwng tlodion Llanrhaeadr a Phennant ac 'roedd yn werth 10/6 y flwyddyn.

Gadawodd Ellis Jones, Peniarth Isaf £30 i'r tlodion, a Henry Thomas, Llechwedd-y-garth a Catherine Morris, Cwm Llech ill dau'n gadael £20. Gadawodd Maddocks, Llechwedd-y-garth £10. 'Roedd hyn oll yn werth tua £6/10/0 y flwyddyn.

Pistyll Blaen y Cwm

Wrth wynebu'r Pistyll mae tir Pen Cerrig i'r chwith, ac ar y dde mae'r Graig Wen lle mae Llwybr y Gath. Gall y llwybr hwn fod yn bur frawychus oherwydd ei fod yn agos iawn i'r Pistyll mewn un man. Uwch ben ceir nythfa'r gigfran ac adar eraill. Rhyw filltir o'r fan ceir tarddiad Afon Tanat, lle o'r enw Cors Fagl, a'r mynydd uchaf, sef Cyrniau Nod yn terfynu â Chedig, Llanwddyn ac Aberhirnant, Y Bala.

Ddechrau'r ganrif hon bu cryn ffrae rhwng dau gymydog yn y dyffryn hwn, sef Thomas Jones, Blaen y Cwm a Thomas Davies, Drefechan. Yn y canol rhyngddynt 'roedd Thomas Parry, Maes y Llan. 'Roedd Thomas Parry yn cael troi dwy neu dair o ddefaid i bori ar y Graig Wen yn gyfnewid am roi help llaw gyda'r cynhaeaf ym Mlaen y Cwm. Dafad ddu oedd un o'r defaid ac arferai honno bori ger y Graig. Yn y man daeth yn amser ei gwerthu, a hynny i gymydog yn is i lawr y cwm, sef Thomas Davies, Drefechan. Dyna ddechrau helynt y ddafad ddu. Crwydrai'r ddafad yn ôl bob gafael i'w hen gynefin ger y Graig. 'Roedd perchennog y ddafad a pherchennog y tir ill dau yn flaenoriaid yn yr un capel ac 'roedd pethau wedi mynd yn bur ddrwg rhyngddynt.

Yn y diwedd, er mwyn heddwch ardal gyfan, bu'n rhaid gwerthu'r ddafad ddu unwaith eto gan ofalu ei bod yn mynd ymhellach y tro hwn!

Thomas Pennant Dimol

Tybir fod y gŵr hwn wedi'i eni yng Nghae Bitfel wrth odre Moel Dinmoel ac ymddengys iddo fabwysiadu'r enw Dimol. Ar ôl treulio'i flynyddoedd cynharaf yn gweithio ar ffermydd y fro aeth i weithio mewn masnachdy ym Manceinion lle daeth i gysylltiad â Cheiriog, Creuddynfab ac Idris Fychan.

Ar 28 Mai, 1865 hwyliodd ar y 'Mimosa' o Lerpwl am y Wladfa ym Mhatagonia. Ymhen deufis glaniwyd ym Mhorth Madryn a gorfod wynebu caledi difrifol. Ymddiddorai Twmi Dimol, fel y'i gelwid gan ei gyd-wladfawyr, mewn pob math o goed ffrwythau ac ef mae'n debyg oedd y cyntaf i blannu perllan yn y wlad newydd.

Dair blynedd yn ddiweddarach 'roedd criw o chwe gŵr ar long fechan o'r enw 'Denby' yn cludo bwyd a nwyddau o borthladd Patagones. Gadawodd y llong Batagones ar 16 Chwefror, 1868, a dyna'r tro olaf y gwelwyd y llong a'r criw. Un o'r rhai a gollwyd oedd Twmi Dimol. Mae'n debyg i'r 'Denby' suddo mewn storm, a hynny efallai oherwydd bod y gwartheg oedd arni wedi ymgasglu i un ochr. Dyma a ddywed R. Bryn Williams yn ei lyfr *Y Wladfa* :

'Ymhen amser, tiriodd un o longau pysgota Ynysoedd y Falkland yn Nhombo Point, sydd rhyw bedwar ugain milltir yn is na'r Wladfa, a chanfod yno fedd, a gweddillion dynol gerllaw iddo . . . Cafwyd cyllell boced â'r llythrennau D.D. wedi eu cerfio arni, eiddo David

Davies, un o'r llanciau oedd ar fwrdd y llong. Cafwyd hefyd fotwm lifrai yno, a hwnnw'n perthyn i Twmi Dimol, un arall o'r criw a fu yng ngwasanaeth clwb ym Manceinion cyn iddo ymfudo i'r Wladfa. Aed â'r creiriau hyn i Ynysoedd y Falkland.'

Dywed hefyd: 'Mae'n amlwg i rai o'r dynion gyrraedd y lan, ac wedi iddynt gladdu y rhai a foddodd, farw o newyn a syched yn ddiweddarach eu hunain... Gan na chyrhaeddodd y 'Denby' bu newyn yn y Wladfa am ddau fis.'

Wedi hynny, ail-briododd gweddw Twmi Dimol ag R.J. Berwyn, athro'r ysgol gyntaf yn y Wladfa. Arferai'r Parch. Nefydd Hughes Cadfan ddweud ei fod yn cofio'i weddw pan oedd ef yn hogyn yn y Wladfa.
(Diolch i Mr T.Davies, Llwyn Onn am beth o'r hanes uchod).

Llwybr Dafydd Evans, Plas Du

Ar ddiwrnod braf un mis Awst rai blynyddoedd yn ôl penderfynais ddilyn Llwybr Dafydd Evans. Gadewais y modur ger Plas Du a cherddais tua Chapel Elim, heibio fferm y Castell, cartref y diweddar Meurig Jones (Meurig Mochnant), a Chadnant, Mochnant Isaf, yna am Dŷ Cefn, Cileos Uchaf hyd at Fryn Dreiniog a'r Wtra a'r Shambar. Yr olaf oedd cartref y Parch. David Humphreys, gweinidog adnabyddus gyda'r Wesleaid. Yna euthum heibio Ty'n y Meini, cartref Cynddelw, awdur y cywydd enwog i'r Berwyn. Yn awr 'roedd amryw o ffermdai a thyddynnod ar y dde imi. Ymlaen â mi heibio hen furddun Tan y Graig ac am y Llan gan basio Eglwys Sant Cynog hyd at Glyn Du, cartref brawd i'r Parch.

David Humphreys, sef Iorwerth Cynog y bardd. Yna'r hen ysgol, cartref y Parch. Joseph Thomas, Carno. Y teulu hwn a gychwynnodd Chwarel y Gribin a fu'n gweithio am flynyddoedd. Yna cyrraedd hen gapel yr Annibynwyr, Penygeulan, a cherdded ymlaen hyd at Ficerdy Pennant. Gadewais y ffordd a chymerais lwybr Tŷ Cefn hyd Dan y Bwlch a draw am fferm Gwaelod Erw Hir a Llechwedd-y-garth, cartref Richard Davies, hen deulu enwog yn y cwm. Ymlaen eto heibio cae Croes Ficer a Dôl Pen-y-bryn, Ty'n Pistyll a'r Dafarn Isaf lle'r arferid chwarae anterliwtiau yn yr oes a fu. Yna deuthum at y Dafarn Uchaf a'r Rheol, man ymladd ceiliogod yn yr hen amser. Cyrhaeddais y fynwent a'r Eglwys ei hun, lle'r oedd sedd Plas Du. Dywedir i Dafydd Evans fod mewn llewyg o ryw fath am wythnos gyfan. Mae ei lyfr, 'Breuddwyd Dafydd Evans', yn brin ac yn werthfawr. 'Roedd y daith yn agos i bum milltir.

Chwarel y Gribin

Fe welwch yn y llun y tyllau a hefyd y cwt powdr ar safle hen dŷ fferm o'r enw Y Gribin, cartref John a Robert Ellis. Un o'r teulu oedd y diweddar James Ellis, Manceinion a arferai dreulio ei wyliau hefo Mr Evans y Castle, ac fel pregethwr cynorthwyol yn cydoesi â Cynogfab, Gruff Tibbott a John Parry. Y ddau Ellis oedd y rhai olaf i fyw yn y Gribin cyn dechrau'r ganrif hon.

Dyma ddetholiad o hen lyfr cyfrifon y chwarel:

4 men for walling — £0.12.0d.
Thomas Morton 9 lbs fine iron — 1. 6d.
Thomas Morton 26 lbs fine iron for nails — £4.5.2d

Thomas B Smith 600 nails — 9.0d.
Evan Evans for bringing wagons — 15.0d.
William Edwards carrier — 2.0d.
Evan Jones 2 shovel foots — 1.0d.
Thomas Davies 3 pick foots — 1.3d.
Carriage of coil rope from Leamington to Oswestry — 1.6d.
Oswestry to Llangynog — 6d.
1 year rent through Nant-henglawdd field — 15.0d.
Job Ellis Oswestry for rails — £3.12.6d.
Cambrian Railway Co. — 1.11d.
Evan Evans for carrying the rails from Llanfyllin
Station and for carrying timbers — 2.11d.
John Edwards for powder and fuses — £2.2.10d.
Isaac Jones for carrying slates 2 days down to the wharf 8/- a day —
16.0d.
Rhiwarth Slate and Slab Co — 14.7d.
Robert Evans for carrying slate with his horses to the wharf for four
days — £1.4.0d.

David Davies, Bugail Dartmoor

Brodor o ardal Llanfyllin a Llanfihangel oedd David
Davies ond treuliodd ran helaeth o'i oes yng ngharchar
Dartmoor am fod ganddo ddwylo blewog. Byddai'n
torri i mewn i eglwysi ac yn lladrata arian o'r blychau.
O ran ei natur, yr oedd yn ddigon diniwed, a dyna,
mae'n debyg, pam y caniateid iddo fod yn fugail y
carchar.

Yn Y Dolydd, sef y wyrcws yn Llanfyllin y
diweddodd ei ddyddiau ac mae gennyf gof amdano, tua
dechrau y tridegau, wedi cymryd y goes oddi yno a
cherdded y deng milltir i Langynog. Eisteddodd ar
riniog Siop Johnny Bach wedi diffygio'n lân ac yn
methu â mynd gam ymhellach. Gyrrwyd am y plismon,
sef y Cwnstabl Williams, a phan gyrhaeddodd
gofynnodd i'm brawd yng nghyfraith, Ifor Meredith,

Siop y Gornel ei gludo'n ôl i Lanfyllin. Nid oedd Ifor yn awyddus i wneud y siwrnai ar ei ben ei hun a gofynnodd i mi fynd gydag ef. Rhoddwyd David Davies yn sedd gefn yr Ostin Sefn a ninnau'n dau yn y blaen. Eisteddodd yn dawel yr holl ffordd. Yn ein derbyn ar iard Y Dolydd 'roedd Mr Astley, y pennaeth, a dau o'r swyddogion. Dyma ddechrau rhoi tafod a bygwth cweir. Yna, gydag un bob ochr iddo, i mewn ag ef.

Cyn troi am adref cawsom ganiatâd i edrych am hen gymeriad o bentref Llangynog, sef Robert Davies, neu Bob Saer fel y'i gelwid. Wrth fynd trwy ryw ystafell gwelem David Davies a'r ddau swyddog yn ymrafael â'i gilydd. Ceisiai'r swyddogion dynnu ei drowsus ond yn aflwyddiannus gan ei fod wedi rhoi ei ddwylo yn ei bocedi i'w rhwystro!

Ymhen peth amser dihangodd eto o'r Dolydd ond, y tro hwnnw, ysywaeth, cafwyd hyd iddo wedi marw.

Tua'r un adeg bu farw gŵr o Langynog yn Y Dolydd a threfnwyd i'r Parch. H.D. Owen, Pen-y-bont-fawr gynnal gwasanaeth yno cyn mynd am fynwent Pennant Melangell. Erbyn i'r gweinidog gyrraedd yr oedd y cynhebrwng wedi cychwyn. Rhuthrodd yntau am Bennant er mwyn bod yno i'w derbyn ond pan gyrhaeddodd nid oedd sôn am neb yn unman. Yr eglurhad? Wel, 'roedd y gyrrwr a'r saer wedi galw yn y 'Pen-y-bont-fawr' i wlychu pig ar y ffordd!

Rhai Cymeriadau

Cymeriad diddorol oedd George Phillips a oedd yn byw yn yr hen dollborth, Bryn Tanat, gyda'i wraig Jane. 'Roedd wedi bod yn gweithio yn chwareli llechi'r Hen

Graig a hefyd yn y Gwaith Mwyn. Pan oeddwn yng ngofal y Caban Powdr yn chwarel Graig West ef fyddai'n cludo'r powdr o'r orsaf gyda'i geffyl a'i gert. Araf iawn y symudai'r hen geffyl gan ei fod mewn gwth o oedran a gellid dweud yr un peth am George hefyd. Fodd bynnag, golygai hynny fod ganddo ddigon o amser i sgwrsio. Ef oedd yn gofalu am y tai bach yn y Llan bob nos Wener, ac ar fore Sadwrn byddai'n gwerthu bwydydd gyda'i gert. Cymeriad moesgar tu hwnt ond 'roedd hynny, wrth gwrs, yn nodweddu'r oes honno.

'Roedd Edward Roberts, neu 'Ned Taid' fel y gelwid ef, yn gweithio yn y chwarel ac yn cludo cerrig i'r orsaf. Un tro wrth groesi'r rheilffordd syrthiodd y ceffyl ar ei bengliniau ac ni allai godi. Yn y man daeth Mr Watson, y meistr, heibio a gofyn 'What happened, Edward?' Atebodd yntau 'The pedol of ceffyl went between two rails and down it went mewn munud.'

Dau frawd smala iawn oedd John a David Meredith. 'Roedd John yn byw yn y Llan ac yn gweithio ym mhlas Llechwedd-y-garth. Cerddai filltir a hanner i'w waith bob dydd ac ar fore Llun yn ddi-ffael byddai ganddo drowser ribs gwyn. Bûm yn cydweithio ag ef a sylwais ei fod yn yr haf yn gwisgo'i gôt wrth weithio ond yn ei chario ar ei fraich wrth gerdded adref! Yn Foty Pennant yr oedd David ei frawd yn byw ac un tro 'roedd y ddau ohonynt yn atgyweirio tai'r stad. Digwyddent fod yn Nant Ewin, Pennant, cartref Thomas a Sarah Williams, ac ar ôl cyrraedd y buarth dywedodd David wrth John, 'Cer di i bwyntio'r ffwrn fawr ac mi af innau i drwsio cefn to'r tŷ.' 'Roedd y ffwrn fawr mewn adeilad ar wahân i'r tŷ ac ymhen amser aeth Sarah Williams yno i nôl rhywbeth a gwelodd draed John yn hongian allan o'r popty. Ni allai ddod allan. Rhedodd hithau i nôl David gan ddweud, 'Brysiwch, mae John yn sownd yn y ffwrn!' Yr ateb a gafodd oedd, 'Gadewch iddo fo — mi grasith!' Bu'n rhaid i Sarah gydio yn nhraed John a thynnu a thynnu i'w gael yn rhydd.

Cymeriad unigryw iawn oedd Thomas Williams, Nant Ewin, neu 'Twm Cedig' fel y gelwid ef. Bu'n fugail yng Nghedig, Llanwddyn cyn dod i Nant Ewin. Bu'n dorrwr beddau, yn glochydd ac yn ofalwr Eglwys Pennant Melangell am amser maith. Aeth yn ddall ond er syndod i bawb gallai ffeindio'i ffordd o gwmpas yn ddidrafferth.

Un o gymeriadau mwyaf hoffus a lliwgar y Llan oedd Edward Llywelyn Davies (Davies y Glo). Bu'n gweithio un amser ym mhyllau glo'r De ac yna daeth yn ôl i Langynog i werthu glo. Hen lanc ydoedd a gwelid ef a'i ferfa yn cludo hanner cant o lo i hwn a'r llall. Byddai plant yn hoff iawn o ymgasglu yn ei gartref gan ei fod yn greadur mor groesawus.

Betsi Jones, Glyn-du wedyn. Bron yn ddieithriad safai wrth y giât i'n holi ni blant ysgol ar ein ffordd adref. Gwisgai het fawr hen ffasiwn. 'Roedd ei gŵr Evan Jones wedi marw flynyddoedd lawer o'i blaen. Cwpwl hynod o garedig oeddynt ac fe roesant dir i adeiladu'r capel Methodist a'r fynwent bresennol. Mae plac y tu mewn i'r capel i gofio am Evan Jones fel Blaenor a Gwladwr Da.

Gŵr y cawsom ni fel teulu lawer o'i gwmni oedd Dafydd Morris, Tŷ Uchaf, Cwm Llech (Penygeulan yn ddiweddrach). Bu'n gweithio llawer hefo'n teulu ni yn Llechwedd-y-garth a hefyd fel cipar. Hen lanc ydoedd a threuliodd nosweithiau lawer yn ein cartref ni yn eistedd wrth y tân a sgwrsio. 'Roedd yn denor da iawn. Yn ystod ei flynyddoedd olaf 'roedd ei gartref drws nesaf i ni. Ambell dro byddai'n dal y trên un o'r gloch ar brynhawn Sadwrn ac yn mynd i Groesoswallt i siopa ac un Sadwrn Gwyliau (Nadolig) prynodd docyn raffl yng Nghroesoswallt. Wrth gerdded am y trên i ddod adref daeth dyn ar ei ôl i'w hysbysu ei fod wedi ennill gŵydd. Ymhen dyddiau gofynnodd Dafydd i Mrs Hughes, New Inn ei choginio iddo. Bu'r hen greadur yn bwyta cig gŵydd am hydoedd nes bu bron iddi ei ladd!

John Evans (Cynogfab) 1857 – 1929

Ganwyd John Evans mewn bwthyn o'r enw Pen-y-Parc yn Llangynog ar Fehefin 9, 1857. Ei rieni oedd John a Catherine Evans. 'Roedd y tad yn bregethwr cynorthwyol gydag enwad y Wesleaid (Cylchdaith Llanrhaeadr) am flynyddoedd lawer.

Bu pedwar o blant yn y teulu, ond collwyd y ddau hynaf yn ieuanc; hunodd Thomas yn 39 mlwydd oed yn y flwyddyn 1893, gan adael John ei hunan. Ychydig fu manteision addysg John Evans ac 'roedd yn gweithio yn y mwynfeydd yn ddeg oed. Gweithiodd yng Nghraig-y-Mwyn o chwech y bore hyd chwech yr hwyr, ac yna taith hir o ryw dair milltir i gerdded adref. Symudodd i chwarel lechi Rhiwarth, ac wedi tymor byr fel naddwr apwyntiwyd ef yn glerc yn swyddfa'r chwarel. Cymerodd *Postal Courses* i wella'i addysg. 'Roedd tueddiadau cryf at gerddoriaeth ynddo yn ieuanc iawn.

Tonic Solffa oedd ei faes, ac enillodd ei Dystysgrif Cyntaf (Coleg y Solffa) o law Ieuan Gwyllt, cyn bod yn ddeg oed. Sefydlodd ddosbarthiadau Solffa yn y Llan a bu'n arwain corau yno cyn bod yn ugain oed, a bu'n fuddugol mewn amryw gystadlaethau. 'Roedd y Côr Undebol yn cyfarfod bob wythnos yn Hen Gapel y Methodistiaid Calfinaidd. Buont yn cystadlu yn 'Steddfodau Llangynog, Pen-y-bont-fawr, Llanfyllin a Llanwddyn. Cofir, un tro, i'r Côr fynd i gystadlu i Lanfyllin mewn wagen a'r ceffylau wedi'u haddurno â rhubanau amryliw. Nid gormod o dreth i'r Côr oedd dringo dros fynydd Cwmdwygo, a thrwy nentydd a chorsydd, neu heibio Cwm Llech (hen gartre Robert Morris) a thros fynydd y Gyfine i Lanwddyn i gystadlu. Troi'n ôl wedyn yr un ffordd yn nhywyllwch y nos, yn fuddugoliaethus neu fel arall. 'Roedd y rhan fwyaf o aelodau'r Côr yn gallu darllen y Solffa, a nifer wedi ennill tystysgrifau.

Mae sôn am Cynogfab mewn hen rifynnau o'r *Gwyliedydd Newydd* yn canu ei harmoniwm fechan ar ganol llawr yr Hen Gapel a'r hen John Jones, 'Y Golchwr' yn codi canu. 'Roedd canu neilltuol dda y pryd hynny. Ef hefyd oedd yr athro Cerddorol yn yr Hen Ysgol Frutanaidd fechan yn y Llan, a gedwid gan y ddwy 'Miss Jones', y Temperance. 'Roedd y geiriau i'r cerddi i gyd yn Saesneg, wrth gwrs!

Heblaw bod yn gerddor, 'roedd John Evans yn fardd da hefyd. Darllenai lawer o waith beirdd Cymraeg a Saesneg. Yn 18 oed enillodd y brif wobr o Gadair ac arian am bryddest 200 llinell ar y testun 'Y Croeshoeliad', a chanmolwyd y gwaith da, anghyffredin gan Cadfan, y beirniad. Mewn Eisteddfod yng Nghroesoswallt y bu hyn.

Priododd ag un o ferched y Llan, sef Elisabeth Owen, merch hynaf Mr a Mrs Owen Owen, Cross Keys, Llangynog. Bu iddynt bedwar o blant, un ferch, a thri mab. Bu John farw yn faban, y ferch farw yn 1914, ac Aneurin yn y Rhyfel Mawr 1914-18. Gadawyd y mab ieuengaf ar ôl, sef Thomas Hefin Evans.

Pan oedd yn 23 oed symudodd y teulu i Fanceinion i fyw, gan fod Cynogfab wedi derbyn swydd fel clerc gyda chwmni mawr ac adnabyddus Mri S. & J. Watts yn Portland Street. Dringodd i fod yn bennaeth un o'u hadrannau mwyaf cyfrifol *(Claims Department)*. Bu'n gweithio i'r cwmni am 49 o flynyddoedd.

Wedi dod i Fanceinion, ymaelododd yn Eglwys Openshaw, gwnaed ef yn flaenor ac yn arweinydd y gân. Symudodd i ran arall o'r dref ac ymaelododd yn Eglwys Gore Street, ac yn ddiweddarach yng Nghapel Manley Park, Whalley Range lle 'roedd yn organydd, blaenor a dechreuwr y gân am flynyddoedd. Cyflwynwyd iddo ddau anerchiad, fel arwyddion o'r syniadau uchel a deimlwyd amdano ynglŷn â chanu'r cysegr, un yn 1897 a'r llall yn 1924.

Ymunodd â Chôr Undebol y Ddinas, gwnaed ef yn Ysgrifennydd ac arweinydd cynorthwyol. Yna, ffurfiwyd Cymdeithas Gerddorol Cymry Fydd ac apwyntiwyd ef yn Arweinydd. Bu'n gwasanaethu droeon yn y Central Hall gyda'i gôr. Ef hefyd oedd arweinydd y côr a godwyd gan Gwmni S. & J. Watts i wneud gwaith dyngarol yn y ddinas.

Pan agorwyd Capel Booth Street (A) perfformiwyd

gan Gôr Cynogfab y gantawd 'Joseph' gan Dr. Joseph Parry, gyda'r cyfansoddwr yn chwarae'r organ a Chynogfab yn arwain. Rhoddodd y Dr. Parry ganmoliaeth uchel i'r Côr am eu gwaith.

Arweiniai Gymanfaoedd yn Lloegr a Chymru, a bu'n beirniadu llawer mewn Eisteddfodau. Fel cyfansoddwr tonau enillodd enwogrwydd cenedlaethol. Cyfansoddodd 27 o donau ac un anthem, 'Seren Bethlehem'.

Enwyd y tonau Dewi Sant, Collyhurst, Greenheys, Openshaw a Manley Park ar ôl enwau lleoliad capeli Cylchdaith Manceinion. Enwau ei donau eraill yw Melangell, Tadolaeth, Isfryn, Awn Rhagom Filwyr Iesu, Dos ymlaen fel yr afon, Ymgysegriad, Gwisgwch y ddalen wen, Gwyliwch a Gweddïwch, Gweddi Plentyn, Llangynog, Darowen, Bronfedw, Brontecwyn, Mae Iesu Grist yn hoff o blant, Plant y Gobeithluoedd, Clychau'n Canu, Tŷ Fry, Aneurin (ar ôl y mab a gollwyd yn Rhyfel 1914-18), Gwynedd, Pwy Fel Efe, Penyparc, Pwy ddaw i ddweud am Iesu Grist a Bugail Israel. Ymddangosodd ei dôn gyntaf yn *'Trysorfa'r Plant'* yn 1879. Ymddangosdd Clychau'n Canu yng Nghymru, Lloegr a Thaleithiau Unedig America.

Rhyddfrydwr oedd yn ei ddaliadau gwleidyddol ac ni allai neb ei newid. Bu'n Oruchwyliwr Cylchdaith Manceinion (o'r Eglwys Fethodistaidd), a chynrychiolodd ei Dalaith yn y Gymanfa a'r Gynhadledd. Bu'n Fethodist teyrngar hyd ddiwedd ei oes ac yn ddirwestwr pybyr. 'Roedd cryn lawer o'r Piwritan ynddo.

Bu farw ar Ragfyr 13, 1929 yn 72 mlwydd oed.

David Morris neu
Dei Cariwr (1857 - 1933)
tad fy mam

John Lloyd,
Llechwedd-y-garth
(tad fy nhad)
tua 1890 - 1900

Rhes ôl (o'r chwith): R. E. Lloyd; Owen Parry Owen; John Lloyd.
Rhes flaen: Samuel Davies; Tommy Meredith; Asiant Stad Llechwedd-y-garth; David Meredith; John Lloyd
(fy nhaid). Yr Achlysur oedd ffrwgwd ynghylch ffiniau ar Gomiau Nod, sef ffiniau saethu rhwng Sir Drefaldwyn a
Sir Feirionnydd yn 1903

Llangynog gynt. Y trydydd tŷ ar y dde yw Elan House lle'm ganwyd

Pont afon Rhiweirth cyn ei hail-wneud yn 1971

Agor Capel Ebeneser yr Annibynwyr yn 1895

Y Clwb Mawr

Trigolion Llangynog yn dathlu'r Coroni yn 1911

Band Llangynog tuag adeg y Rhyfel Mawr

*Hen eglwys Pennant Melangell. Yma, yn ôl traddodiad, y claddwyd
Melangell ei hun yn ogystal ag Iorwerth Drwyndwn, tad Llywelyn Fawr*

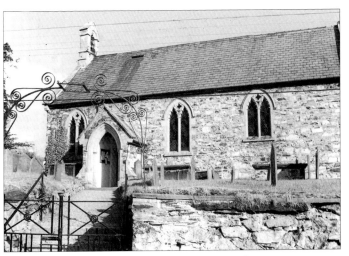

Eglwys Sant Cynog yn y pentref

*Capel Ebeneser
yr Annibynwyr*

Capel Penuel M.C.

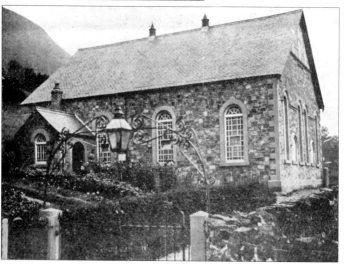

Yn ysgol a gaewyd yn 1971 ac sydd bellach yn unedau gwaith

Pistyll Blaen Cwm

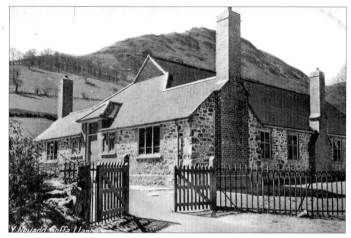

Y Neuadd Goffa

Agor y Neuadd Goffa. Mrs B. B. Bevan, Croesoswallt (ar y dde) a'i hagorodd yn swyddogol

Plant ysgol Llangynog 1921-22

Plant ysgol Llangynog 1949

Dathlu hanner canmlwyddiant Capel Ebeneser

Chwarel y Gribin

Côr Cymysg Llangynog yn 1947

Yr 'Home Guard' tua 1940 - 41. Y bachgen yn y canol yw Glyn Evans, yr unig un o Langynog a gollodd ei fywyd yn Rhyfel 1939 - 45

Tîm pêl-droed Llangynog 1931

Ciperiaid Stad Llechwedd-y-garth 1937. O'r chwith: R. E. Lloyd
(fy ewythr); Albert Davies; John Lloyd (fy nhad)

Tom Lloyd
(Telynor Ceiriog)

John Evans (Cynogfab)

*Ym Mhatagonia 1994 gyda
Gweneira Davies, gor-wyres i
Twmi Dimol*

Claddwyd ei weddillion yn y 'Southern Cemetery' Manceinion yng ngŵydd tyrfa fawr iawn. 'Roedd un ar ddeg o weinidogion yn yr angladd: ymhlith y rhain 'roedd y Parchedigion E. Tegla Davies, W.H. Hughes, Tryfan Jones, John Felix, D.R. Evans, Rhys Jones, A.W. Davies, D. Gwynfryn Jones a J. Wesley Felix.

Cafwyd y deyrnged hon yn Saesneg gan bennaeth cwmni S.& J. Watts i'w fab, T. Hefin Evans, ar farwolaeth ei dad:

'He was not only an old and honoured member of our staff, but almost an institution. His length of service, his great fortitude under great stress and illnesses, his literacy and poetic gifts, made for him a special place in the list of those who served this firm so well and so loyally for half a century.'

(Ymddangosodd yr ysgrif hon, o waith Mrs Marian Roberts, Glyn Ceiriog yn *Yr Ysgub*.)

Ffair Llangynog

Os cofiaf yn iawn, cynhelid hi ym mis Medi. Y dyddiau gynt byddai'r porthmyn yn galw heibio'r ffermydd i geisio prynu anifeiliaid. Llwyddent weithiau a methu ambell dro. Diwrnod arbennig iawn oedd diwrnod y ffair pryd y gwerthid defaid a gwartheg. 'Roedd gan bawb ei le ei hun ar y ffordd o'r Llan hyd at y Bont Dyrpeg. Byddai yno fargeinio mawr drwy'r dydd, a phawb drosto'i hun oedd y drefn oherwydd nad oedd arwerthwr fel sydd heddiw. Ceid stondinau hyd y Llan a ffair fawr yn y cae tu ôl i'r New Inn. Oedd, 'roedd yno firi a hwyl ac fel yr âi'r noson ymlaen byddai rhai wedi cael gormod i'w yfed ac ambell dro fe âi'n ymrafael. Yn ddiweddarach, daeth Mr Hubert Watkins, yr arwerthwr o Lanfyllin, â mwy o drefn ar bethau ac fe osodid peniau mewn cae i'r anifeiliaid. Ond daeth y cyfan i ben a dim ond atgofion sydd gennym. Eithriad yw gweld olion anifeiliaid hyd y ffordd heddiw.

Capel Wesle

Adeiladwyd capel cyntaf y Wesleaid yn 1803 wrth dalcen y bont dyrpeg ar dir Iarll Powys. Rhoddwyd 40 ar log gan ŵr o'r enw Edward Edwards, Pencraig, a hynny ar air yr hen frodyr. Wedi marw'r hen frodyr mae lle i amau na thelid y llogau. Yn 1817 ceisiodd Edward Edwards gymryd meddiant o'r capel a'i drosglwyddo i'r Annibynwyr ac aeth gŵr o'r enw Charles Jones i'r pulpud un nos Sul gyda'r bwriad hwnnw mewn golwg. Ond yr oedd y Parch. Lewis Jones, gweinidog cyntaf y Wesleaid, yn bresennol a gofynnodd am ganiatâd i bregethu yn gyntaf. Safodd ar y grisiau a phregethodd ar y testun 'Na chwennych dŷ dy gymydog', a hynny mor ysgubol nes i Charles Jones addo nad âi byth yn agos i'r lle.

Talwyd 40 gan un o'r enw Mr Evans o Lanrhaeadr ac aeth Mr Lloyd, Ty'n Twll, Llanfyllin yn gyfrifol amdanynt. Helaethwyd Capel y Bont yn 1840 ond bu helynt ariannol oherwydd i'r adeiladydd godi 15 yn rhagor na'r cytundeb gwreiddiol. Costiodd amddiffyn yr ymddiriedolwyr yn agos i 100 i Mr Lloyd, Ty'n Twll. Fodd bynnag, rhoddodd hynny ben ar helyntion hen Gapel y Bont. Parhawyd i addoli yno hyd nes y codwyd y capel Wesle presennol yn 1875.

Teulu athrylithgar o Wesleaid oedd teulu Pen Cae Du. Bu Anthony ac Evan Hughes yn weinidogion ac felly hefyd eu nai, y Parch. Thomas Hughes (1814-84). Ysgrifennodd ef amryw o lyfrau megis 'The Great Barrier'; 'Prayer and the Divine Order' a 'The Human Will'. Bu farw ym Moreton ger Croesoswallt.

Capel Penuel (Methodistiaid)

Honnir for cannoedd o bobl yn ymgynnull i wrando'r Efengyl ym mhlwyf Llangynog mor gynnar â'r flwyddyn 1774. Yn ôl y Parch. Evan Davies, gweinidog cyntaf Llangynog a Hirnant, y Methodistiaid oedd yr Ymneilltuwyr cyntaf yn yr ardal ac fe ddechreuwyd achos yma yn fuan ar ôl 1770.

Yn 1802 anfonwyd John Morris yma i bregethu gan un Owen Davies (ai'r Parch. Owen Davies (1752-1830), y gweinidog Wesleaidd a oedd yn arolygwr y genhadaeth Gymreig tybed?). Pregethodd John Morris wrth dalcen hen dŷ ym mhen isaf y gwaith mwyn — hen dafarn Bocs Mawnen, mae'n debyg. Dywedir bod John Elias wedi pregethu yno hefyd ar garreg farch pryd yr oedd llawer o fwynwyr o Gernyw yn gweithio yn yr ardal ac yn gefnogol i'r achos.

Yn ôl y Parch. Evan Davies, 'Gwan fu'r achos yma am flynyddoedd, methid â chael tir i adeiladu arno, a gorfodid hwy i addoli mewn tai annedd. Mewn tŷ wedi ei gyfaddasu ychydig i'r amcan y cariwyd yr Achos ymlaen hyd y flwyddyn 1826 pryd yr adeiladwyd y capel cyntaf i'r Methodistiaid, a hynny ymhen 60 mlynedd ar ôl dechrau llafurio yn yr ardal. Ail-adeiladwyd ef yn y flwyddyn 1839; cynhaliwyd Cyfarfod Agoriadol,

Chwefror 12, 1840.' Capel yr Erw oedd ei enw ac fe erys ei adfeilion.

Cynhaliwyd y Cyfarfod Dirwest cyntaf yn y cylch yn 1836, ond mae lle i gredu mai ardal go feddw oedd Llangynog ac mae nifer y tafarnau yn tueddu i gadarnhau hynny. Fodd bynnag, o ganlyniad i Ddiwygiad 1859, cafwyd twf sylweddol yn nifer yr addolwyr. Un nos Fercher yn Ionawr 1860, er enghraifft, ymunodd tua thrigain o bobl ac erbyn y mis Mawrth dilynol yr oedd y capel yn orlawn. Bellach yr oedd angen adeilad helaethach ac fe roddodd Evan Jones, Glyn Du dir ar gyfer capel a mynwent ar brydles o gan mlynedd namyn un, a hynny am bedwar swllt y flwyddyn.

Felly, tua 1868, gorffennwyd adeiladu'r capel presennol, sef Penuel. Rhoddodd y gweithwyr eu llafur yn rhad yn eu horiau hamdden ac felly hefyd y ffermwyr a fu'n cludo defnyddiau. 'Roedd y gost tua 900. Yn 1912 gwariwyd tua 470 ar atgyweiriadau. Symudwyd y drysau o'r talcen i'r ochr a chaewyd rhan o'r adeilad i wneud dwy ystafell. Cafwyd gwresogydd a lampau hefyd.

Wrth agosáu at ddathlu canmlwyddiant yr achos Methodistaidd yn Llangynog, sef yn 1926, penderfynwyd glanhau, paentio a gosod golau trydan yn y capel. Gwariwyd dros £200.

Capel Ebeneser yr Annibynwyr

Bu i'r Annibynwyr ddau gapel yn Llangynog. Y cyntaf oedd hen gapel Penygeulan (Bryn Awel) a adeiladwyd yn 1835. Credir fod ysgol berthynol i Annibynwyr Penygeulan yn cael ei chynnal un tro yn Hen Ysgol (Bryn Celyn). Caewyd Penygeulan yn 1895 pryd yr agorwyd y capel newydd, sef Ebeneser, ar safle'r hen gapel Wesle wrth dalcen y bont dyrpeg.

Ar 16 Medi 1895 y gosodwyd carreg sylfaen Ebeneser gan Mrs Roberts, Powys Terrace; Mr E. Lloyd, Lerpwl; Mrs Elizabeth Lloyd, Llechwedd-y-garth; Miss Edwards, Parc Isa, Pen-y-bont-fawr; Mr G.R. Jones, Llanfyllin; Mr Evan Evans, Siop Newydd; Mr A.G. Humphreys, Glan Severn, Y Drenewydd; Mrs Lloyd Jones, Llanrhaeadr-ym-Mochnant. Rhoddwyd 100 at y costau gan Mr T.A. Jones, Williamsburg, Iowa, U.D.A. Yn ddiweddarach daeth ef i fyw i Powys Terrace (Cyrniau yn awr).

Trist oedd gorfod cau'r capel ddydd Sadwrn, Hydref 23, 1982. 'Roedd y Parchedigion Arthur Thomas, Llanfair Caereinion a Gwilym Williams, Llangadfan, Cadeirydd yr Undeb, yn bresennol, ynghyd â'r aelodau canlynol: Mr Newton Morton, Mrs A.E. Meredith, Mrs Glenys Roberts, Mr a Mrs A. Parry, Miss C. Lloyd, Mrs M.E. Mayers, Mrs C. Jones, Mr L. Roberts a Mr J.D. Lloyd.

Y Cychwyn

Detholiad o 'Hanes y Methodistiaid Calfinaidd yn Llangynog' a ysgrifennwyd yn 1934 gan y Parch. H. Lefi Jones

Dywedir yr enwid eglwysi cyntaf Cymru oddi wrth y sant a'u sylfaenai. Os felly daeth Cristionogaeth i Langynog yn y bumed ganrif, oblegid dyna'r pryd yr oesai Cynog. Ym Mhennant eto y mae eglwys o'r enw Melangell, santes yn y chweched ganrif. Dywedir iddi addunedu bod yn wyryf a dianc i Bennant am noddfa ond i Dywysog Powys ei ddarganfod wrth hela drwy i ysgyfarnog a ymlidiai ffoi dan ei mantell am gysgod, ac iddo godi lleiandy iddi lle saif yr eglwys bresennol. Gwelir gan hynny ddyfod o'r efengyl i'r ardal hon yn y cyfnod pell pan ymgollai hanes mewn traddodiad. Pa faint o ddylanwad ydoedd yn y fro dros oesau lawer ni wyddys ond ymddengys nad oedd yr eglwys wladol o nemor rym moesol yn y cylch tua diwedd y ddeunawfed ganrif, oblegid byddai'r offeiriad yn chwalu'r cynulliadau ymneilltuol â'i ffon, ond yn ymddifyrru mewn gwylio chwarae pêl ar dalcen ei eglwys ar brynhawn Sul. Ni lwyddodd y Bedyddwyr erioed i ymsefydlu yn yr ardal. Ni cheir hanes yr Annibynwyr yma hyd 1833. Bernir yr heuwyd hadau Wesleaeth yn y fro ymhell cyn hynny gan fwynwyr o Gernyw, ond tuag 1802 y dechreuodd yr enwad weithio'n rheolaidd yn Llangynog ac edrychid arnynt gan y Methodistiaid Calfinaidd fel hereticiaid rhonc.

Ym *Methodistiaeth Cymru* , Cyf I tud. 130 cawn hanes Richard Tibbott, gŵr a arolygai Sir Drefaldwyn dros y Sasiwn, yn rhoi adroddiad iddi yn 1744. Dywed y ceid pregethu yn Llangynog, ac y deuai rhai cannoedd i wrando er, gan mwyaf, yn lled ysgafn. Ond yn ail gyfrol *Methodistiaeth Cymru*, tud. 397 darllenir: 'Bernir mai tua 1770 y bu y bregeth gyntaf gan neb o'r Methodistiaid yn y plwyf.' Pa fodd y mae cysoni hyn? O ddiffyg dynion a fyddai'n gefn i'r achos yn y lle y mae'n debyg na sefydlwyd eglwys yn 1744 ac ymhen chwe blynedd ar hugain wedyn yr oedd yr atgof am y gwaith hwnnw'n lled wan. Y pregethwr Methodist cyntaf y gwyddys ei enw i gynnal oedfa yn yr ardal hon oedd Sion Moses o'r Bala. Un o arwyr bore drycinog ein henwad ydoedd ef. Bu yn amddiffyn Howel Harris rhag ei ymosodwyr, a dirwywyd ei fam ac yntau am ganiatáu pregethu yn eu tŷ. Agorodd Thomas Huw, Yr Eithin, ei ddrws i'r pregethwr hynod. Cawsai ganiatâd i wneud hynny am unwaith gan ei feistr tir, John Evans, Branas, Llandrillo a diddorol sylwi fod disgynyddion iddo yn yr Eithin heddiw. Wedi'r cychwyn hwn deuai William Evans o'r Fedw Arian ac eraill o bregethwyr y Bala i ymweld â'r ardal, ac y mae hanes am Peter Williams, yr esboniwr, yn pregethu ar garreg farch yn ymyl tŷ tafarn yn y Llan, wrth basio o Lanfyllin i'r Bala. Darfu i'r ffordd newydd raddol ei rhiw a wnaed, yn ôl 'Pennant's Tours', yn 1776 dynnu llawer mwy o dramwy rhwng Sir Drefaldwyn a'r Bala. Hefyd y mae'n amlwg fod

Llangynog yn boblog iawn y pryd hwnnw. Codai'r amaethwyr lawer o ŷd. Yr oedd yr Hen Waith Mŵn yn mynd, a gwneid yma tua miliwn o lechi mewn blwyddyn. Nid rhyfedd felly y dywedir y parhai pregethwyr y Bala i ddyfod i Flaen y Cwm (neu Dyddyn Cablyd) ac i le gyferbyn â phentref Llangynog a elwid y Cloc Tŵr yn perthyn i'r Hen Waith. 'Roedd y cloc yn agos i hen dŷ Pen y Gwaith lle y saif 'Crusher' Mr Watson yn awr. Oherwydd yr erlid a'r drycinoedd peidiwyd â chynnal y cyfarfodydd cyhoeddus ar y lawnt, ac aed i hen ysgubor. Cynhelid y seiadau a lletyai'r pregethwr yn nhŷ Evan Parry, gŵr na wyddys i sicrwydd ddim rhagor amdano. Distaw yw hanesion dechrau Methodistiaeth Llangynog am yr Ysgol Sul oherwydd na chychwynasai yn unlle yng Nghymru ar y pryd. Dywedir fod yma athro o'r enw William Mathews yn cadw ysgol yn eglwys y plwyf, ac iddo gefnogi'n eiddgar ymdrechion y Methodistiaid i wella moesau'r fro. Y mae lle i gasglu mai un o athrawon Griffith Jones, Llanddowror ydoedd hwn, oblegid derbynient hwy gefnogaeth Eglwys Loegr, ond darfu'r arian at yr ysgolion hyn oherwydd anghydwelediad ynghylch ewyllys Madam Bevan a fu farw yn 1778. Tua'r flwyddyn 1807, neu gynt, anfonodd Charles o'r Bala ŵr ieuanc crefyddol yma i gadw ysgol, sef y Parch. Robert Evans, Llanidloes wedi hyn, ond math o ysgol feunyddiol a gadwai'r naill a'r llall.

Y Capel Cyntaf

Tua therfyn y ddwy ganrif ardrethwyd hen dŷ annedd. Rhoed pulpud a meinciau ynddo, a chofrestrwyd ef yn lle i addoli er mwyn cael llonydd gan yr erlidwyr, a dyna gartref crefyddol y genhedlaeth gyntaf o saint Methodistaidd Llangynog. Nid oedd yr eglwys y pryd hyn ond tua dwsin o dlodion, ond deuai lliaws i wrando. Ar ryw nos Sul pan bregethai'r Parch. Evan Griffith, Meifod yr oedd y lle'n orlawn, a chaed oedfa hwylus, ond erbyn drannoeth cwympasai darn o'i fur. Llanwyd y bwlch â gwellt, er hynny mor anniddos ydoedd y capel fel nas gellid cadw cannwyll yn olau ynddo ar wynt. Rhaid fu i'r addolwyr feddwl am le arall. Addawodd eu brodyr yn y sir eu cynorthwyo, a chaed ton o ddiwygiad i'w calonogi. Safai'r Hen Gapel ar y cwr nesaf i'r Llan o domennydd yr Hen Waith yn y gesail lle troir tua'r mynydd o ffordd Pennant. Trowyd ef yn Bit Lli, a phrin y gellir canfod ei sylfeini heddiw.

Capel yr Erw

Wedi penderfynu adeiladu capel newydd yr anhawster cyntaf os nad y pennaf hefyd ydoedd sicrhau tir. Chwenychwyd darn o gae y New Inn ar fin yr Hen Ffordd i'r Rhiwarth. Y mae adfeilion yno heddiw, ond bwriedir codi neuadd bentrefol ar y fan. Boneddiges o Sir Fflint oedd ei berchen, a pherswadiwyd hi gan un o elynion Ymneilltuaeth i wrthod y cais amdano. Fodd bynnag, yn y man priododd ei merch Mr. Griffith Caerhun, Dyffryn Conwy, ac yr oedd ei oruchwyliwr ef yn Fethodist, a thrwy ddylanwad hwn y tir a gafwyd ar brydles o gant namyn un o flynyddoedd am bedwar swllt y flwyddyn. Y mae'r llyfr rhent ar gael yn awr. Yn 1826 y codwyd Capel yr Erw. Helaethwyd ac ailagorwyd ef Chwef. 20, 1840. Perthynai iddo ystabl a thŷ, ac oriel uwch ben hwnnw. Buwyd yn cynnal Ysgol Sul a chyfarfodydd eraill ynddo am flynyddoedd ar ôl codi capel arall, ond tua dechrau'r ganrif hon gollyngwyd ef i'r tirfeddiannwr am ugain punt.

Yn yr addoldy hwn y traddodwyd yr araith gyntaf ar ddirwest yn y pentref, Tach. 2, 1836. Daeth pedwar gŵr i gynnal y cyfarfod yng nghanol brwdfrydedd newydd y dyddiau hynny sef Y Parchn. Henry Rees, David Charles (Dr wedyn), Thomas Aubrey a William Morris, Llanfyllin. Ym Mhen-y-bont-fawr am 10, Llangynog am 2, a Llanfyllin am 6. Ymhen pythefnos, Tach. 16, sefydlwyd Cymdeithas Ddirwest yn Llangynog, ac ymddengys fod mawr angen amdani. Yn Hanes Diwygiad 1859 dywedir mai ardal feddw iawn oedd hon cyn hynny; a llu o esgeuluswyr ar brynhawn Sul dan wal y fynwent. Dechreuwyd cynnal cyfarfodydd arbennig yma yn Rhagfyr 1859, ac ar nos Fercher Ion. 11, 1860 teimlwyd nerthoedd y byd a ddaw, ac ymunodd tri ugain â'r Methodistiaid cyn diwedd Mawrth. Erbyn hyn yr oedd y capel yn orlawn. Symudid y plant oddi wrth eu rhieni at ei gilydd i'r llawr er gwneud lle i rai hŷn. Yna aflonyddwyd am addoldy mwy. Ar Hydref 23, 1937 agorwyd y Neuadd Goffa sydd â'i chwr nesaf i'r ffordd ar sylfeini'r hen gapel.

Penuel

Dechreuwyd hwylio at adeiladu Penuel yn 1866 a buwyd gyda'r gwaith hyd 1870. Claddwyd y cyntaf yn y fynwent sydd wrtho yn 1871. Dyma gofnod y bedd:

Coffadwriaeth
am Dafydd Howell Mab i
William ac Anne Howell Cor-ner Shop Llangynog a fu farw
Hydref 18fed 1871 yn 37ain oed
. . . .
(Beddfaen er cof am y Cyntaf a orffwys yma)

Ym Moncyn y Garreg Wen tua thair milltir i gyfeiriad y Bala y cafwyd y cerrig at y capel. Ei faint o fewn yw deunaw llath wrth dair ar ddeg. Yr oedd dau ddrws iddo yn ei ben isa. Yna dau borth ac ystafell rhyngddynt. Oriel uwch ben y cyfan, a'r pulpud a'i gefn arni. Costiodd tua £900. Yn 1912 caewyd drysau'r talcen, a thorrwyd un newydd yn yr ochr o fewn deuddeg troedfedd i ben uchaf yr adeilad. Gwahanwyd y darn hwnnw oddi wrth y capel yn ddau ysgoldy gyda therfynau symudol. Gosodwyd pibellau hefyd i dwymo'r cyfan. Costiodd y gwaith hwn £470 I ailagor cafwyd cwrdd mawr. Ynddo pregethodd y Parchn. Phillip Jones, Llandeilo Fawr, a Lemuel Jones, Gopa. Goleuwyd y capel â thrydan yn 1924. Yn 1926 glanhawyd yr adeilad, casglwyd at hynny £200. Costiodd hynny £187, ac wedi gorffen y gwaith cynhaliwyd cyfarfod i ddathlu'r canmlwyddiant. Nos Iau Medi 30 darlithiodd y Parch. Llewelyn Lloyd ar Dr. John Williams, a phregethodd bore drannoeth. Y prynhawn bu Mri. John Morris, Allt Forgan, R.W.

Evans, Ysgolfeistr a John Watkins, y Gadfa yn adrodd hanes y ganrif. Yr hwyr pregethodd y Parch. W.M. Jones a Daniel Davies, Y Bala. Sicrhawyd Bron Hefin yn feddiant i'r Cyfundeb trwy dalu canpunt i weddw Evan Jones Glyn Du. Yn 1930 atgyweiriwyd pibellau'r capel ar ôl y rhew a thynnwyd y dŵr o'r Llan i fyny trwy draul o £63.13. Yn 1931 prynwyd y llain gerllaw am £70.

Yn Niwygiad 1905 chwanegwyd tua 30 at eglwys Penuel. Dyma ddyfyniad o hanes yr achos a gyflwynwyd i'r Cyfarfod Misol yn 1920. Rhydd olwg gyffredinol ar drefn y gwaith drwy'r blynyddoedd. 'Pregeth ddwy waith bob Sul oddigerth ein bod wedi methu sicrhau pregethwr. Cyfarfod Gweddi Undebol nos Lun cyntaf y mis, Seiat nos Iau, a threfnir cyfarfodydd i egwyddorion y plant a'r bobl ieuanc. Trefnir cyfarfod swyddogion ar ddechreu'r flwyddyn i adolygu a threfnu'r gwaith, ac ar derfyn yr odfa bore neu nos Sul os bydd angen.' Gellir ychwanegu fod Cyfarfodydd gweddiau dechrau'r flwyddyn a diolch am y cynhaeaf yn undebol, cyrddau yn y ddau gwm y noson gynt, ac ym Mehefin 1931 dechreuwyd cynnal y seiat olaf o bob mis yn undebol. Y mae yma obeithlu undebol yn 1925 — codwyd modurdy ynghŵr pella'r fynwent. Costiodd £14.7.4. Symudwyd i fin y ffordd Ebrill 3-5, 1933.

Pennant

Dywed Methodistiaeth Cymru mai Ysgol Sul Pennant yw'r hynaf yn y cylch. Dechreuwyd hi cyn diwedd y ddeunawfed ganrif. Yn 1792 y daeth Sydney Jones ei sylfaenydd i fyw i Dyddyn Cablyd. Wedi cyrraedd bu ddrwg ganddi weld ei chymdogion mewn anwybodaeth yn ymroddi i oferedd. Un Saboth yn ôl arfer y fro cynhelid gwylmabsant i ymyfed mewn tafarn ger yr eglwys a sicrhaodd Sydney Jones bregethwr o'r Bala i gynnal cyfarfod ar y fan er gwrthweithio'r drwg. Daeth ei brawd John Jones gydag ef, a dechreuodd yr oedfa am ddau o'r gloch brynhawn Sul yng nghanol gwawdwyr. Darllenodd y rhan olaf o Eseia 5, gan dynnu addysgiadau priodol i'r amgylchiad wrth fynd ymlaen. Yna gweddiodd yn wresog am gymorth i'r efengylydd i lefaru gair tros Dduw, ac i'r bobl i wrando bob un drosto'i hun. Wedi hynny darllenodd y pregethwr ei destun Math. 5/25. Dangosodd fod yr Arglwydd yn wrthwynebwr cyfiawn i bechod, a bod dyn yn elyn anghyfiawn i Dduw, ac aeth ymlaen i ddangos y drefn ogoneddus i gymodi pechadur yn Iesu Grist ac mor angenrheidiol yw i'r annuwiol ddyfod i gytundeb â Duw, a hynny ar frys. Rhwymwyd pawb i wrando, a bu effeithiau rhyfedd i'r bregeth. Dechreuodd gyfnod newydd yn y Pennant. Brwydrodd y tafarnwr a'i briod yn ffyrnig tros gadw'r hen arferion llygredig yn fyw, am y gwelent golli gobaith eu helw, ond gofalodd rhagluniaeth eu symud oddi ar y ffordd, a rhagddo'n raddol a sicr yr aeth gwaith gras. Dechreuwyd Ysgol Sul yn Nhyddyn Cablyd. Symudwyd hi i Nant Ewyn i le mwy canolog, ac oddi yno i'r Dre Fechan i dŷ mwy.

Erbyn tuag 1860 yr oedd hi yn gref iawn. Cofia Mr Ellis Jones, Llanfechain fod mewn dosbarth dynion yn y porth tu allan am nad oedd le tu fewn. Yn y llwyddiant hwn ymorolwyd am godi ysgoldy. Hefyd yr oedd mynd ar adeiladu capelau drwy'r wlad ar y pryd, sef yn 1862 pen dau canmlwydd troad allan y ddwy fil o Eglwys Loegr, sef cychwyn Ymneilltuaeth. Sicrhawyd llecyn cyfleus i'r holl gwm. Gelwid y fan y Grwn Bowlio. Costiodd bumpunt, a gwneud y gweithredoedd amdano bum punt a chweugain. Gwnaeth mynychwyr y ddwy ysgol arall eu rhan mewn cyfrannu a chario fel yr agorwyd yr adeilad ar y Saboth cyntaf yn 1863 yn ddiddyled. Er yr adeg honno bu yn yr Ysgol gryn lawer o leihad a chynnydd bob yn ail, ond parha'n agored ac y mae heddiw gryn nifer o blant ar ei llyfrau. Maint yr ysgoldy yw saith llath wrth bump.

Saith Pregethwr Capel yr Erw

Joseff Thomas.

Ganwyd ef Medi 17, 1814 mewn tollborth lle saif Addoldy'r Annibynwyr heddiw. Oddi yno symudodd ei rieni i'r Hen Ysgol. Wedyn adeiladasant iddynt eu hunain y tŷ nesaf i Bennant ar ôl pasio Capel yr Annibynwyr. Merch Pen y Geulan oedd ei fam. Chwarelwr o Ddyffryn Nantlle oedd ei dad, a bu ef a'i feibion yn gweithio Chwarel y Gribin. Nid oedd Edward Thomas yn proffesu crefydd ac ni fagwyd ei blant yn y seiat. Ym Mawrth 1839 daeth Dr. Owen Thomas yn efrydydd o'r Bala y tro cyntaf i Langynog. Pregethai'r bore a'r hwyr ar I Bren. 18/21. Cafodd oedfa rymus y bore ond teimlwyd nerthoedd y byd a ddaw mewn modd eithriadol yr hwyr. Clywid rhai anystyriol yn ochain tros y lle. Daeth amryw i'r seiat o newydd y nos Fawrth dilynol. Ymhen ysbaid gwelwyd Joseff Thomas yng Nghapel yr Annibynwyr (Bryn Awel yn awr) ac arhosodd y seiat. Yr oedd yntau wedi ei glwyfo a'i reswm tros ymddwyn fel hyn oedd fod arno ofn yr hen flaenoriaid Methodistaidd. Dychrynasant hwythau pan glywsant ac anfonasant y mwynaf yn eu plith sef Robert Jones y Llan yng nghorff yr wythnos i ymddiddan ag ef, a thrwy ddylanwad ei fam ac atyniad cysylltiadau mebyd, yn ei gapel ei hun y gwelwyd ef y Saboth dilynol. Derbyniwyd ef yn gyflawn aelod gyda saith eraill; a chawsant gydgyfranogi o'r Sacrament ar nos Iau am y tro cyntaf. Y Parch Richard Jones Llanfair yn gweinyddu, a dywedai mai naturiol ddigon ydoedd ordinhad ar nos Iau am mai ar y noson honno y sefydlwyd hi yn yr oruwchystafell.

Ymwelid â Rhiwarth a Llangynog y pryd hwn gan deiliwr o flaenor a dirwestwr selog o Landderfel o'r enw Richard Roberts, taid i'r Parch. Ceidiog Roberts. Clywsai hwn Joseff Thomas yn areithio ar ddirwest. Trwy ei fawr ganmol llwyddodd i sicrhau gwahoddiad iddo i'r ŵyl ddirwestol a gynhelid ar Nadolig 1840 yn Llwyn Einion, a daeth yr holl ffordd i Langynog i'w berswadio i ufuddhau. Aeth hefyd i'r Bala i ymbil ar Dr. Lewis Edwards i ddyfod i'w wrando. Yn yr ŵyl llefarai yr areithiwr ieuanc yn huawdl ac argyhoeddiadol heb fawr feddwl fod Prifathro'r Bala yng nghwr y gynulleidfa'n gwrando arno. Cwrddasant y prynhawn a chymhellodd y Dr. ef i ddechrau pregethu a dyfod i'r athrofa. Felly fu. Yn 1843 cefnodd ar y Bala ac ymsefydlodd fel cenhadwr yn Bilston a Birmingham. Yn 1846 galwyd ef yn weinidog ar Ddosbarth Llanrhaeadr a oedd y pryd hwnnw'n cynnwys Llanfyllin, a lletyai yn y ddau Lan yna fel y byddai'r galw. Yn 1848 ymadawodd i Garno lle bu hyd ddiwedd ei oes Ion. 14, 1889.

Edward Thomas ei frawd.
Bu yntau'n pregethu am hanner canrif er nad erioed yn fugail eglwys. Bu yn gweithio chwarel yn Abertrinant, ac yn gwerthu glo a chalch ym Mhont Dôl Goch. Diweddodd ei yrfa ef yn Nhŷ Capel Saron Ion. 8, 1888 ac yntau yn 77 mlwydd oed.

John Mostyn Jones.
Ganwyd ef Ion. 3, 1840. Dyma osododd ef ei hun ar garreg fedd ei rieni ym mynwent Penuel

'Er Cof am
John Jones, Bronheulog Llangynog
Ganwyd yn y Gelli Grin ger y Bala, 1817
Bu farw Chwefror 7fed, 1875
Hefyd am Margaret, ei briod.
Ganwyd yn y Bala, Awst, 1808.
Bu farw yn y Bala, Gorphenaf, 1882'

Dechreuodd John Jones wneud osgo at bregethu yn ei hen gartref tuag 1863. Ond wedi symud i Lanfyllin y traddododd ei bregeth gyntaf ar Fawrth 18, 1866. Wedi gorffen yn y Bala galwyd ef yn fugail i Fostyn, ac oddi wrth y lle hwnnw y cymerth ei enw canol. Bu yn bugeilio wedyn yn y Gerlan, Oak Hill, Ohio a Glan

Adda. Bu yn cynrychioli ei enwad mewn cwrdd pregethu undebol yn Llandegla Nadolig 1898. Pregethai'n rymus ar Ioan 6/63 'Yr Ysbryd yn Bywhau'. Bu farw Mawrth 29, 1911.

R.W. Jones ei frawd.
Ganwyd Mai 9, 1844. Pan oedd tuag ugain oed symudodd i gyffiniau Tywyn. Oddi yno wedyn i Aberllefenni a thrachefn i Abergynolwyn, lle y priododd ac y dechreuodd bregethu. Galwyd ef i fugeilio gofalaeth Cwmstrallyn a Golan, ac oddi yno yr ymadawodd o'r byd Rhag. 23, 1905.

Samuel Evans.
Bu yn cadw tafarn, ond rhoes hi i fyny o gydwybod dan ddylanwad brwdfrydedd dirwestol ei ddydd. Daeth i Langynog yn oruchwyliwr ar ystâd Llechwedd y Garth, ac efe yn ganol oed. Dechreodd bregethu yma yn 1840. Bu farw yn Nhrelogan Erbill 23, 1870 yn 76 mlwydd oed.

David Humphreys, brawd Iorwerth Cynog.
Ganwyd yn y Glyn Du 1810 ac yn nghanol hwyl ddirwestol yr ardal hon y canodd ei emyn adnabyddus — 'Babel gwympa er ei chryfed.' Bu farw yn Llanrhaeadr yn 1866.

G.B. Jones. F.R.H.S.
Aeth i'r Bala yn 1869. Rhannodd ei oes weinidogaethol yn lled gyfartal rhwng y Cymry a'r Saeson. Yr oedd yn bregethwr sylweddol, a meddai ar bersonoliaeth swynol.

Hunodd yn Nhrefaldwyn Chwef. 14, 1916 yn 74 oed a'i feibion ar faes y gad. Ganwyd ef mewn bwthyn sy'n adfail ger cwt pylor Craig West. Gelwid ef y Gribin. Symudodd y teulu oddi yno i'r tŷ nesaf i'r ffordd o'r Hen Ysgol. Dyma nodiad am ei chwaer, Miss Margaret Jones Hen Ysgol fu farw Ebrill 1, 1928. Chwaer 'foneddigaidd, a duwioldeb yn harddu ei chymeriad. Haelioni, gostyngeiddrwydd ac addfwynder yn amlwg ynddi'.

Bugeiliaid

Edward Hughes, Llanidloes oedd y bugail cyntaf ar y dosbarth hwn. Daeth yma yn nechreu 1842, ond ni symudodd ei deulu; ac ymadawodd ymhen tua blwyddyn.

Joseff Thomas a ddaeth i'w ddilyn, ac yma hyd 1861.

John Lewis. Symudodd yntau i Birmingham, ac yno y llafuriodd yn ffyddlon hyd derfyn ei oes Medi 26, 1871.

Evan Davies (Trefriw) oedd y bugail cyntaf ar Langynog a Hirnant. Daeth yma yn 1872, ac ymadawodd yn 1875 i Lanarmon Dregeiriog. Yr oedd yn llenor coeth. Bu am flynyddoedd yn golygu'r *Lladmerydd*, cylchgrawn yr Ysgol Sul. Ysgrifennodd gofiannau hefyd i Joseff Thomas a John Mostyn Jones. Lloffwyd ohonynt at yr hanes hwn. Ar ei ôl ef bu

Hugh Myfyr yn gofalu am Langynog gyda Llanrhaeadr ond ymadawodd o'r cylch yn 1878. Yna galwyd

Evan Stephens yn 1883. Wedi bod yma naw mlynedd aeth i Ruddlan, ac oddi yno drachefn yn 1895 i Ruthun lle bu farw'n sydyn Ebrill 2, 1913.

D. Wyn Jones a alwyd nesaf yn Awst 1893. Cefnodd yntau yn 1897 i fyned i Raeadr Gwy. Yr oedd ef yn weddïwr gafaelgar, yn bregethwr a bugail cymeradwy ond ni lwyddodd i basio'r arholiad ordeinio. Bu farw yn 1931.

R.T. Owen, efrydydd o'r Bala a alwyd yn 1902. Symudodd i Aberllefenni yn 1907. Ei briod yw Miss Jones Corner Shop; a'i fab yw Oswald Rees Owen B.A. Bu farw Ion. 21, 1935.

O.R. Owen a ddaeth yma o Bontrobert yn 1908. Bu farw ei wraig Ruth Edith Owen wedi hir nychu yn 38 mlwydd oed Gorff. 4, 1911. Dyna ddywedir amdani yng nghofrestr yr eglwys — 'Colled fawr, gwraig rinweddol'. Ar ôl hynny, 1915, symudodd ei phriod i Bentrefelin. Bu yntau farw, ar ôl damwain a gafodd ar ei ffordd i seiat Hirnant, Mawrth 28, 1919. Yr oedd yn drefnydd medrus ac yn gerddor gwych. Y mae colofn ar fedd y ddau ym mynwent Penuel.

G.G. Owen a groesawyd fel bugail ar Ion. 6, 1921 ymadawodd Mai 1, 1928 i Lanbedr Meirionnydd a chyflwynwyd iddo anrheg gwerth £11.7.6. Y mae'n awr ym Mhrenteg.

H. Lefi Jones a ddaeth yma Mehefin 11, 1929. O Bentre Ucha, Llŷn. (Ymadawodd ef a'i briod i Garrog ddiwedd Medi 1939.)

Atgofion am Gwm Pennant
gan R.E. Lloyd
(1882 – 1962)

Dechreuwn wrth Graig West. Yng nghae Mwdwl, Pengwern, yr ochr isaf i'r ffordd, bron yn y gwaelod, yr oedd tŷ o'r enw Hen Office. John Jones (Maes y Llan, fel y'i gelwid) a Mary Jones a theulu mawr o blant oedd yn byw yno. Yn nes draw yr oedd hen bit llifio coed ac am y gwrych y mae'r afon. Cofiaf Dafydd Jones, Y Cwm gyda cheffyl ac aradr yn yr afon yn llacio lle i wneud gwely newydd er mwyn cael rhagor o ddŵr i droi'r olwyn yn Graig West. Yr oedd hen wely'r afon yn nes i gaeau Maes.

Pengwern Fach, ar yr ochr dde i'r ffordd. Mr a Mrs John Parry a'u mab Thomas Aneurin Parry oedd yn byw yn y tŷ uchaf. Gweithio ar y ffordd a wnâi John Parry ac un diwrnod yr oedd yn torri cerrig pan ddaeth Mr Storer, y syrfewr i edrych amdano. Neidiodd yntau ar ei draed. 'You sit down, John,' meddai'r syrfewr ond meddai John Parry, 'Me tired of sitting down!'

Drws nesaf, yn y tŷ pellaf, yr oedd Mr a Mrs Dafydd Tibbott a'r plant yn byw. Gweithio yn y chwarel a wnâi Dafydd Tibbott ac 'roedd yn flaenor gyda'r Wesleaid. Byddai teuluoedd Pengwern Fach yn cario'u dŵr o'r afon neu o wastad Pengwern. Dyna broblem fawr llawer lle bryd hynny. Pan oedd John fy mrawd yn byw ym Mrynawel aeth ef a Dafydd Tibbott i durio wrth ymyl Pengwern Fach ac fe gaed dŵr.

Flynyddoedd yn ôl, yr oedd y cae a elwir Brydir, sydd yn ymyl Pengwern Fach ac yn ymestyn uwch ben y Geulan Goch yn perthyn i Bengwern ond yr oedd perchennog y Plas eisiau gwneud dreif union am y Llan i arbed dringo o Dan y Bwlch. Felly, newidiwyd Byrdir am gaeau uwch a oedd yn perthyn i Dyddyn yr Helyg. Cafodd Tyddyn yr Helyg y cae hwn a hawl tramwyo trwy fuarth Pengwern Fach. Nid oedd ffordd arall i fynd yno.

Cofiaf ryw ddeg ar hugain ohonom, blant Pennant, yn mynd adref o'r ysgol un tro ac yn gweld Dafydd Morris, Fronwen yn dod â llwyth o galch ar wagen trwy fuarth Pengwern Fach i'r cae. Wedi dadlwytho ac wrth geisio troi'n ôl methodd y ceffyl â dal y wagen. Trosodd â nhw i'r ffordd y tu ôl i ni'r plant. Lladdwyd y ceffyl.

Yn agos iawn i'r un llecyn, yn 1907, yr oedd Mr Mortimer o'r Plas wedi anfon Roberts y coetsmon gyda cheffyl a cherbyd i gyfarfod rhyw ŵr bonheddig oddi ar y trên olaf. Noson Ffair Llangynog oedd hi ac wrth fynd adref yn y drofa gul pwy oedd yn gorwedd ar lawr yn feddw ond Charles, Pwll Iago. Dychrynodd y ceffyl ac wrth geisio troi'n ôl aeth dros y gwrych i'r ffordd sy'n mynd i lawr i'r gwastad. Neidiodd y gŵr bonheddig allan ar y ffordd. Da fod yno goed ynn ifanc digon cryf i ddal y pwysau a'u gollwng i lawr yn raddol i'r ffordd. Nid oedd y ceffyl na'r cerbyd ddim gwaeth ond 'roedd Roberts druan wedi torri rhai o'i asennau.

Nes draw mae'r Geulan Goch, a'r ffordd yn gul iawn.

Aeth Richard Davies, Llechwedd-y-garth (y fferm) a'i ferlen i'r gwaelod wrth enau'r merddwr, a Mrs Davies yn mynd ar ei ôl i edrych faint o arian oedd ganddo yn ei boced! Ym mhen draw'r Geulan Goch yr oedd twnnel yn mynd o dan y ffordd ac i'r ddaear. Mae'r fynedfa wedi'i chau erbyn hyn. Ymhellach ymlaen, ar ben y rhiw, yr oedd y Llwybr Newydd, fel y gelwid ef, yn arwain trwy fuarth Tyddyn Helyg at Hafoty a'r Plas. Dyma'r ffordd a ddefnyddiem i fynd i'r Llan ar droed. Yng ngwaelod y rhiw, ar y Llwybr Newydd, mae ôl twnnel arall ar y dde i'r ffordd sy'n arwain i Bennant. Mae hwn hefyd wedi cau erbyn hyn.

Tyddyn yr Helyg (Yr Ochr), fferm Mr a Mrs Thomas Morris a llawer o blant. 'Roedd Mrs Morris yn perthyn i deulu David Humphreys (1813-66), y bardd. Gwraig gymwynasgar a fu farw'n ifanc. 'Roedd yn aeaf caled a phobman wedi rhewi ac Elizabeth Morris yn tendio ar Gladys yn y Fronwen. Galwyd amdani i Dan y Bwlch ar enedigaeth Mary Jones. Eisteddodd ar garreg ac i lawr ar y rhew i Dan y Bwlch. Oerodd a cholli ei bywyd. Tŷ ac adeiladau gweddol newydd yw Tyddyn yr Helyg. Cafwyd y cerrig o'r Graig Goch yn ymyl Pant Madog.

Pant Madog. Yn y pant yma mae dwy ffridd a chloddiau pridd yn perthyn i Dyddyn yr Helyg. Yn y coed uwch ben y tŷ ceir olion chwarel lechi. Yn Fron Bistyll, cae tu draw i'r coed, y mae twnnel helaeth, yn ôl y rwbel y tu allan. Cariwyd llawer o'r rwbel hwn i wneud y dreif at y Plas yn 1910-11. Dyma'r adeg y daeth General Gough yn ôl o Ynys Guernsey wedi bod yn Llywodraethwr yno am wyth mlynedd.

Y 'Vicarage' sydd wedyn. Saif ychydig dros filltir o'r

Llan a milltir o Bennant. Mr a Mrs John Morgan oedd yno ynghyd â'u hunig ferch, Mary Ann, a chwech o feibion, John, Dafydd, Tom, Edward, Bob a Joseph. Hen lanciau a hen ferch oeddynt. Buont farw i gyd o fewn ychydig wythnosau i'w gilydd yn ystod un gaeaf oer a rhewllyd — Mary Ann i ddechrau, a'r tri arall yn eu gwlâu. Cododd Tom i wneud tân a bu'n agos iddo losgi'r tŷ. Credaf mai T. Morton, Rhydyfelin a ddigwyddodd ddod yno mewn pryd. Bu D.T. Ellis a minnau yn aros drwy'r nos gyda Bob, yr olaf ohonynt. Byddai'n cnoi baco yn ei wely ac yn taflu'r tsioe i'r tân ond yn methu weithiau. Disgynnai'r rheiny ar y wal, a'r lle'n faco i gyd. Tua 1935 yr oedd hynny.

Yma y bu Rheithor Pennant yn byw ar un adeg. Y mae cae o'r enw Croes Sicar o dan y Plas ond yr enw cywir yw Croes Ficar oherwydd bod y ficer yn arfer ei groesi am yr Eglwys.

Mr a Mrs John Jones a'u plant Robert a Mary oedd yn Nhan y Bwlch. Dyma'r bobl gyntaf i mi siarad â hwy yn Llangynog. Gofyn yr oeddem am y ffordd iawn i'r Plas.

O Dan y Bwlch awn i fyny'r ffordd ddŵr at Tŷ-ar-bont. Codwyd y bont yr un pryd ag y cychwynnwyd y dreif gyntaf. Wedyn adeiladwyd y tŷ a'i alw, yn syml iawn, Tŷ-ar-bont.

Awn yn ôl i gyfeiriad ffermdy Llechwedd-y-garth Isaf. Thomas Morris, Yr Ochr oedd yn ei ddal. Yr oedd yn lle enwog adeg diwygiad 1859. Arferent roi trwch o wellt ar lawr y gegin i bobl benlinio arno. Nid oes dim o'r tŷ yn aros.

Ychydig yn uwch i fyny mae Hafoty, er mai enw

hollol amhriodol sydd arno heddiw — Caerhun Cottage. Yn Nyffryn Conwy y mae Caerhun! Yma'r oedd Mr a Mrs Thomas Hughes a nifer o blant, un ohonynt, Margaret, yn fam i'r Parch. Edryd Edwards. Symudodd y teulu i Frymbo ar ôl gorffen gwaith dŵr Llanwddyn.

Yn ymyl mae'r Fronwen lle trigai Mr a Mrs Dafydd Morris a Catherine Ann, y ferch. Credaf mai gyda'i daid a'i nain yr oedd Morris, y mab, yn gwneud ei gartref. Yr oedd Dafydd Morris yn wagner yn yr Ochr bryd hynny.

Wedi i'r teuluoedd hyn symud o'r ddau dŷ yma ymhen blynyddoedd, daeth David Meredith i Hafoty ac Albert Davies i'r Fronwen. Yr oedd ganddynt ful bob un ac Albert yn brolio bod ei ful ef yn medru agor pob giât. 'Roedd Meredith eisiau iddo roi bwced i'r mul er mwyn iddo hel cerrig. Meddai Meredith, 'Mae fy mul i wedi dysgu defnyddio bwced yn y lle chwech.' Adeiladwyd y ddau dŷ yma ar gongl ffridd neu fynydd yr Ochr. Nid oedd cymaint o redyn bryd hynny. Eithin oedd yn tyfu uwch ben Cae Ffynnon Go a byddai plant Hafoty yn ei dynnu i gael tanwydd i'r ffwrn fawr.

Yn uwch i fyny y mae Pant y Cawr. Yn ôl y traddodiad, neidiodd cawr o ben Moel Dinmoel a disgyn ar ochr mynydd yr Ochr. Yn nes draw y mae Pantystyllen ac mae olion saith neu wyth o gloddiau pridd a hen furddun ar y mynydd hwn. Yn y fan yma yr ydym yn agos at Lwybr y Bwlch yn arwain o Bennant i Riwarth. Yn y bwlch ar yr ochr chwith tua chan llath o'r llwybr mae ôl turio i wneud ffos ar draws i amddiffyn y bwlch yn yr hen amser. Yn is i lawr, cyn cyrraedd wal y mynydd ceir olion symud tir — ôl llafur mawr rywdro.

Yn union o dan Lwybr y Bwlch saif Plas Llechwedd-y-garth. Yr oedd dau dwnnel yn y fan yma eto, un yr ochr uchaf i'r tŷ a'r llall wrth yr hen genel cŵn hanner ffordd at yr afon ac yn mynd o dan y berllan i gyfeiriad y Plas. Dyma lle daeth fy rhieni i fyw o Langwm yn 1890. Nid oedd y stad ond bychan bryd hynny. Dyma'r lleoedd oedd yn perthyn i'r Goughs: New Inn, Siop Newydd, Tyddyn yr Helyg (Yr Ochr), Llechwedd-y-garth a'r fferm, Blaen y Cwm, Tan y Foel, Pwll Iago, Cwmdwygo a Thŷ Mawr. Ar ochr Pen-y-bont 'roedd Peniarthau, Tŷ Nant a Chwmwruchaf. Ar ochr Llanfyllin 'roedd Coed y Cloddiau, Bwlch y Graig, ac yn uwch i fyny'r cwm, Tŷ Cerrig a Fron Heulog.

Y pen agosaf i'r Plas yr oedd fferm Mr a Mrs Richard Davies a Charles y mab. 'Roedd yn fferm helaeth. Cadwaladr Jones oedd yn edrych ar ôl y Plas ac yn byw yn New Inn. Yr oedd ar y ffrynt i'n derbyn y diwrnod y cyraeddasom am y tro cyntaf. 'Roedd Mam, Emily a minnau wedi blino'n arw ar ôl cerdded o'r Llan. 'Roedd 'Nhad wedi cerdded gyda'r cŵn o Langwm dros y mynydd i Gefnddwysarn, yna i Landderfel a thros y Berwyn i Bennant.

Hen gegin yn y pen agosaf i'r Llan oedd ein cartref am ychydig flynyddoedd. Gwnaed llawer o welliannau i'r tŷ o dro i dro. Yr oedd waliau'r *drawing room* yn baneli derw i gyd ac ar un panel ceid y flwyddyn 1661 ond symudwyd hwynt i gyd i Gaerhun. Daeth un yn ôl. Cafwyd memrwn yn y wal gyda'r dyddiad 1585 arno. Lladin oedd yr iaith ac mae gennyf gopi ohono wedi ei gyfieithu i'r Saesneg.

Fel y dywedais, fferm oedd y pen arall i'r tŷ, pedair

ystafell i lawr, pedair llofft a phedair uwch ben lle byddent yn cadw ŷd. 'Roedd llygod mawr ym mhobman. Bu farw Charles, y mab, yn sydyn ar y noson cyn Ffair Llangynog. Mary Tibbott (Mrs Brooks) oedd yno'n forwyn. Cafodd le caled iawn; mynd bellter ffordd hefo'r gwas i odro yng Nghwm Ewin bob bore a nos. Byddai Mrs Davies yn mynd â chinio i'r wagner ac yn lle colli amser dwy ollwng y ceffylau byddai hithau'n mynd ati i droi neu lyfnu neu beth bynnag a wnâi'r wagner ar y pryd. Clywais Dafydd Morris yn dweud ei fod wedi bod yn chwalu tail i Richard Davies am ddimai y llwyth, a hynny gyda throl fawr!

Ar ôl iddynt roi'r gorau i ffermio bu newidiadau mawr yn y Plas. Unwyd y cyfan yn un tŷ ac aeth fy nhad a'm mam i fyw i ran o'r ffermdy gan gadw pedair ystafell ar gyfer y morynion. Yn ddiweddarach, tua 1907, cafwyd dŵr i'r tŷ o Hafodwgan a pheiriant i gynhyrchu nwy at gael golau.

Cofiaf Rwsiaid ac eirth ganddynt yn mynd o gwmpas y wlad i fegera. Daeth un ohonynt gyda'i arth at ddrws y tŷ a gwelodd gig moch yn hongian wrth y nenfwd. Yr oedd yn rhaid iddo gael darn ac nid oedd modd ei ddarbwyllo i ymadael. Aeth i sbrotian o gwmpas y buarth ac at ddrysau'r ysgubor. Yr oedd un drws yn gilagored. Gwaeddodd Mam ar Dafydd Morris, Tŷ Uchaf a ddigwyddai fod ar y buarth. Dywedodd wrtho am ollwng y gwartheg allan. Chwarddodd Dafydd oherwydd fe wyddai o'r gorau beth fyddai'r canlyniad. Dyma un o'r buchod yn anelu'n syth am y dyn a'r arth ac ni chafodd ond prin gau'r drws neu fe fuasai wedi darfod amdano ef a'i arth. 'Roedd y fuwch honno, am ryw reswm, wedi casáu wrth geffyl neu greadur o'r fath ac yr oedd yn beryg' bywyd. Lladdodd ferlen unwaith.

Cofiaf fy rhieni yn gwerthu llo bach i Jones, Ty'n Caeau, Pen-y-bont, a'r llo bach hwnnw yn gwneud ei ffordd yn ôl bob cam i'r Plas, taith o ryw bedair milltir. Dro arall, perchyll yn dianc o Dy'n Caeau a dychwelyd i'r Plas.

I Blas Llechwedd-y-garth y daeth beisicl cyntaf yr ardal. Prynwyd yr ail un gan R.T. Jones, Blaen Rhiwarth. Teiars soled oedd arnynt ac nid oedd sôn am *mudguards* . I'r Plas hefyd y daeth yr harmoniwm a'r car modur cyntaf, yn nyddiau'r hen Mr Mortimer. I Drefechan y daeth yr injan dorri gwair gyntaf.

Awn ymlaen at yr hen dai. Led cae o'r Plas yr oedd murddun Tŷ Hen. Wedyn, Pen y Bryn, ffermdy wedi dymchwel. Crogodd hen wraig ei hun yno ac mae wedi'i chladdu yr ochr chwith i'r llwybr sy'n mynd allan o'r Eglwys i gyfeiriad Blaen y Cwm, tua deg llath o'r giât. Darn bychan o garreg sy'n nodi'r fan.

Ar ochr y ffordd o'r Plas i'r Eglwys yr oedd hen dŷ Ty'n Pistyll a gardd rhwng y tŷ a'r ffordd lle byddent yn tyfu hops. Fe'u gwelir yn tyfu i fyny'r gwrych heddiw. Yn ymyl, ychydig yn nes i'r Eglwys, yr oedd y Dafarn Isaf, fferm fach dwt yn yr amser a fu. Bu yno Ysgol Sul yn gynnar iawn. Catrin Morris oedd yr olaf i fyw yno pan oedd yn dafarn. Clywais Miss Jones, Hen Ysgol, yn adrodd am ei thad yn mynd i Groesoswallt hefo ceffyl a cherbyd i werthu cig. Wrth ddychwelyd byddai'n galw yn y Dafarn Isaf a byddai rhywun yn mynd â'r ceffyl adref i Lanyrafon, Rhiwarth. Yna, byddai ei mam yn deall ble'r oedd ei thad ac i ffwrdd â hi dros y Bwlch i'w mofyn adref.

Ar y gongl wrth fynd i'r Rheol, neu'r Tir Comin, neu furddun y Dafarn Uchaf. Nid wyf yn cofio neb yn byw yno ond fe welwch fod yfed go arw yn yr hen amser. Deuai pobl o Gwm Rhiwarth drosodd i yfed ond, gwell na hynny, deuent drosodd i'r Ysgol Sul hefyd.

Yn awr awn i fyny'r llechwedd ar y dde am Hafodwgan, hen furddun wedi mynd o'r golwg erbyn hyn, ac ar hyd y ffordd las am Gwm Ewin. Down at geunant i'r dde, gwelwn fod y dŵr yn dod o Ffynnon Melangell. Arferai llawer o bererinion ymweld â'r ffynnon, a byddai'r dŵr ynddi bob amser yn oer iawn, hyd yn oed yn ystod yr hafau poethaf. Mae mwsogl prydferth iawn ar ei gwaelod. Rhed y gweddill o'r dŵr i ffynnon yn is i lawr, ffynnon sgwâr oddeutu pedair i bum troedfedd o ddyfnder a grisiau yn mynd i lawr iddi. Pan oeddwn yn hogyn byddai llawer o bobl yn mynd yno am bicnic ac amryw ohonynt yn trochi yn y dŵr i geisio cael gwared â chrydcymalau ac anhwylderau eraill. Yn awr, yn 1959, ychydig iawn sy'n gwybod bod y fath le'n bod. Dyma lle gwelodd John Jarman neidr anferthol. Aeth yno ar y Sul yn lle mynd i'r capel, a dyna lle'r oedd yn chwythu corned pan ymddangosodd y neidr — fel sarff yn Eden. Rhedodd nerth ei draed i lawr i'r Plas!

Yn ymyl mae ffridd Cwm Ewin. Dyma lle byddai Richard Davies, Llechwedd-y-garth yn cadw gwartheg godro am yr haf, a'r gwas a'r forwyn, fel y cyfeiriais eisoes, yn mynd â'r llestri godro i fyny ac i lawr bob bore a nos — taith o ryw dri chwarter milltir. Pwy wnâi hynny heddiw?

Ceir olion daeardor *(landslide)* enfawr yn y cwm hwn a hwnnw'n cyrraedd o Waun Teifis i Waun Bwlch y Mynydd. Ar ochr Rhiwarth i'r gefnen, ar hen Graig Boeth uwch ben Minffordd, mae ôl un arall. I fyny'r prif geunant i gyfeiriad mynydd Blaen y Cwm y mae cil calch, mewn lle dirgel, ac yn dal i fod mewn cyflwr pur dda. Ar ochr mynydd Blaen y Cwm y mae Llwybr Helen yn croesi o ffordd y Bala am Bennant. Yn uwch eto, mae Ffynnon Bawl Heli lle mae Nant Ewin yn tarddu ar ysgwydd Moel Gwylfa. Yn is i lawr Llwybr Helen y mae Hafoty Blaen y Cwm lle ceir olion cloddiau pridd i wneud caeau. I lawr eto, yn y dyffryn mae Blaen y Cwm lle'r oedd Mr a Mrs Samuel Davies, ef yn fab i Richard Davies, Llechwedd-y-garth, a hithau'n chwaer i Ellen Jones, Tyddyn Cablyd. Teulu ffeind iawn ac yn gefn mawr i'r hen Eglwys.

Awn yn ôl i fyny'r ffordd las am y mynydd. Ffordd i gario mawn oedd hon ac yn gul heb fod fawr lletach na'r car mawn. Gwell cerdded na cheisio mynd mewn modur, na hyd yn oed *jeep*, fel y gwnaeth un gŵr bonheddig yn 1954. Bu'n wael iawn ar ôl hynny, ac nid rhyfedd. Moel Gwylfa yw'r enw iawn ar y mynydd hwn, a dyma'r mynydd di-graig mwyaf serth a welais erioed. Wrth Nant Pen Cerrig mae olion hen gorlan yn perthyn i Fryn Banon ac mae'r ffordd hon — llwybr yw'r gair mwyaf priodol efallai — yn arwain dros y mynydd i Stacros, Aberhirnant ac ymlaen am y Bala. Eir heibio'r Gorsfagl lle daliwyd Iorwerth Drwyndwn, tad Llywelyn Fawr, tra'n ceisio ffoi rhag ei hanner brawd, Dafydd. Ceir cerflun ohono yn

Eglwys Pennant wrth ochr un Melangell a'r asen fawr.

Ar y dde, mae Bryn Sbio lle ceir digonedd o gerrig *yellow ochre* ar gyfer gwneud paent neu lestri pridd. Er eu bod mor feddal nes gellir eu naddu â chyllell y maent yn rhy ddiarffordd i'w gweithio. Wrth ochr Nant Gorsfagl y mae hen gorlan a berthynai i Alltforgan, Llanwddyn yn yr hen amser. Yma y byddent yn dod â defaid cadw am yr haf, mae'n debyg. Credaf fod rhywun rywdro wedi gwneud llyn yn y Gorsfagl ond mae'n fwy na thebyg fod y dŵr wedi torri drwodd.

Down yn awr at Nant Cerrig Gwynion a'r ffynnon yn ymyl Cyrniau Nod. Cyrniau Nod yw'r mynydd uchaf yn y cylch, oddeutu dwy fil o droedfeddi. Dyma darddle Afon Tanad (a rhoi iddi ei henw iawn). Ger llaw y mae nant arall, sef Nant Llwyn Gwrgi ac os dilynwn hon down at gorlan a ddefnyddir heddiw gan Ddyddyn Cablyd. Yn is i lawr y nant, ar y dde, y mae hen glawdd amddiffyn, a'r ochr arall, ochr Blaen y Cwm, mae olion hen eglwys. Edrychwn i lawr ar hyd y cwm a chawn olygfa ragorol. Yna, awn i lawr Llwybr y Garth ar y dde i'r Pistyll. Uwch ein pennau mae'r Graig Wen. Erbyn cyrraedd y gwaelod yr ydym yn agosáu at Dyddyn Cablyd. Yma, yn yr hen amser, y byddai'r pererinion yn ymgasglu i gael torri eu gwalltiau ac eillio'u pennau cyn mynd i'r Eglwys. Dyna ystyr yr enw. Thomas ac Ellen Jones oedd yn byw yma. Rhwng y tŷ a'r ceunant y mae cil calch ac, yn uwch i fyny, trwy giât y mynydd, yr oedd hen waith ffosffad. Yr ochr arall i Nant Achles, Hafod y Rhaeadr, yn nes i gyfeiriad ffriddoedd Drefechan, y mae cil calch arall. Croeswn y gefnen i ffriddoedd Drefechan. Y mae hen hafoty yma, a gallaf gofio ŷd yn y ffriddoedd hyn.

Ar hyd y llwybr cario mawn awn i fyny'r ochr arall i gefn Moel Dinmoel. Mae'n werth mynd i ben Moel Dinmoel i gael golwg ar y cwm otanom. Troi yn ôl am Flaen y Ceunant, Drefechan ac edrych i fyny ar Garreg y Fuwch o'r ffordd islaw Drefechan a sylwi mor addas yw'r enw: mae'n debyg iawn i fuwch. Yn y ceunant y mae hen dwnnel lle bu rhywun yn cloddio am aur. Y mae yno rywfaint ond nid digon i dalu'r gost o'i weithio.

Thomas Davies a'i briod oedd yn byw yn Nhrefechan; rhieni T. Davies, Llwyn Onn a thaid a nain T. Morton Davies a'i frodyr a'i chwaer Megan. Bu i'r teulu hwn weld troeon enbyd. Bu farw Mr Davies ar y ffordd ac, yn 1907, pan oedd llif mawr, aeth Thomas Davies i'r afon wrth Bont Bren-fain. 'Roedd mab Blaen Cwm, John Ellis Jones, yn cerdded i'r ysgol drannoeth a gwelodd het Thomas Davies ar garreg yn ymyl y bont. Erys yn ddirgelwch sut y bu i'r het groesi'r bont. Canfuwyd y corff ymhen rhai dyddiau tua thair milltir i lawr yr afon.

Yr oedd hen dŷ yr ochr arall i'r nant, a thu ôl iddo, yng ngodre'r graig, mae gwely Melangell, y santes a ffodd o Iwerddon tua 1300 o flynyddoedd yn ôl. Mae'r stori mor gyfarwydd fel na raid ei hadrodd yma.

Awn am fferm Nant Ewin. John Vaughan, hen ŵr wedi cael strôc a'i fraich yn ysgwyd yn ôl a blaen, oedd yno'n byw. Yr oedd yn sgolor go arw.

Thomas Parry, y clochydd, oedd yn byw ym Maes y Llan (Iscoed bellach). Tad ydoedd i Tom Parry, bardd ifanc a fu farw yn Llanwddyn, a thad hefyd i Mrs Jane Davies, Glasgoed a Mrs Ellis, mam DT. Ellis, Pengwern. Dyma'r englyn o waith Tom Parry sydd ar garreg fedd ei fam:

Ow! dyna ing nad â yn ango' — i mi
　　Oedd rhoi mam i huno.
Ni all grym na phriddell gro
　　Ei hatal i'r lan eto.

Nant y Maes (Glasgoed). 'Roedd dau dŷ yma hefyd
lle'r oedd Mr a Mrs Robert Evans yn byw gyda'u pum
mab, sef Llew, Dai, Robert William, Tom a Johnny.
Tipyn o granc oedd Robert Evans ond gyda llawer yn
ei ben yr un pryd. Bu wrthi am amser yn ceisio gwneud
peiriant i fynd gyda dŵr gan ddefnyddio hen gatris pres
gweigion i ddal y dŵr. Yn ymyl y mae darn o dir o'r enw
Rheol (Tir Comin). Yma y byddent yn ymladd ceiliogod
ar ôl gwasanaeth yn yr Eglwys ger llaw.

Mae mynwent yr Eglwys yn helaeth, ar lun pedol ceffyl,
yn grwn, ond mai wal syth am tua 30 i 40 llath yw'r sawdl.
Mae yma bump o hen goed ywennod tua 1300 o oedran
ond mae un ywen ifanc y tu ôl i'r Eglwys. Plannwyd
honno tua 1887 pryd y bu tipyn o atgyweirio. Ar ganol
y fynwent o flaen yr Eglwys yr oedd deial haul. Yn y pen
dwyreiniol mae adeilad hen iawn o'r enw Cell y Bedd
(neu 'Beddau') am ei fod wedi'i adeiladu ar feddau
Iorwerth Drwyndwn a'r Santes Melangell.

Cyn fy nghof i yr oeddynt yn arfer cadw Ysgol Sul yn
y Porth, a oedd yn llai bryd hynny. 'Rwyf yn meddwl mai
yn amser y Rheithor Maurice Jones y gwnaed
atgyweiriadau ar Gell y Bedd ac yna fe symudwyd yr Ysgol
Sul i'r fan honno. Yr oedd yn flodeuog iawn: bûm ynddi
fy hunan, er mai i'r capel Annibynnol ym Mhengeulan
yr âi fy mam a ni'r plant. Âi fy nhad i'r Eglwys. Bu
Richard Vaughan yn cadw ysgol ddyddiol yng Nghell y
Bedd ar un cyfnod. Fel y soniais eisoes, yn yr Eglwys mae

cerfluniau o Iorwerth Drwyndwn a Melangell. Arferent fod oddi allan, un o boptu'r drws, ond yr oedd llanciau yn hogi eu cyllyll arnynt.

Awn i lawr y ffordd dros Bont y Llan a Phont Drefechan. Mae nant Drefechan yn rhedeg ar hyd clawdd uchel ac mae'n syndod na fuasai'r dŵr yn gollwng trwodd ond dal i fynd a wna nes cyrraedd yr afon. Yn is i lawr y mae Cae Bitfel. Fferm fechan oedd hon ond ychwanegwyd hi at Dan y Foel a chariwyd cerrig y tŷ ar gyfer codi tŷ newydd Tan y Foel.

Ysgol Fach neu Penuel sydd wedyn. Codwyd yr adeilad ar ddarn o dir o'r enw Grwn Bowlio lle byddai rhai'n chwarae pêl ar y Sul. Dyma lle bu'r Parch. Joseph Thomas yn areithio ar ddirwest. Yr oedd yma Ysgol Sul lewyrchus gyda rhyw 35 o aelodau.

Efallai mai dyma'r man gorau i mi gofnodi ychydig o hanes yr Ysgol Sul ym Mhennant. Yn Nhyddyn Cablyd tua 1807 y cynhaliwyd y gyntaf yn y cylchoedd hyn. 'Roedd hynny pan oedd Mrs Sydney Jones yn byw yno. Cawsai'r tŷ ei gofrestru fel lle o addoliad ac 'roedd pregethu yno tua 1770. Mrs Sydney Jones oedd yn codi canu yng Nghapel y Llan, hen Gapel y Cloc.

Yr ail le oedd y Dafarn Isaf. Erbyn hyn 'roedd cynnydd sylweddol yn y niferoedd. Dysgent ysgrifennu ac ati fel mewn ysgol ddyddiol ac yr oedd yno wŷr yn medru darllen Hebraeg, Lladin, Groeg a Saesneg. Hon oedd ardal fwyaf diwylliedig y cylchoedd hyn bryd hynny. Y trydydd lle oedd Blaen y Cwm; wedyn Tan y Foel ac yna Drefechan. Erbyn hynny 'roedd y tŷ'n rhy fychan i'r cynulliad ac felly prynodd Owen Foulkes, mab Peter Foulkes, Pwll Iago y darn tir i adeiladu'r Ysgol bresennol, sef Penuel (er mai Peniel yw'r enw cywir). Fe'i hagorwyd yn 1862. Bu'r Parch. David Humphreys, y bardd, yn pregethu yma ar Ragfyr 31, 1862.

Ymlaen â ni am Dan y Foel. John Davies ac Elizabeth ei chwaer, plant Richard Davies, y Plas, oedd yn byw yno. Priododd Elizabeth ag un Mr Jones o Fachynlleth; hwy oedd rhieni Dr. Davies Jones, Caersŵs. Fel y soniais eisoes, tŷ newydd oedd Tan y Foel, wedi ei adeiladu yr un pryd â Chwmdwyfo a Thŷ Mawr, Rhiwarth — y tri ar yr un cynllun.

Robert Roberts a'r ferch, Elizabeth, oedd yn byw yn Rhydyfelin ar ôl i'r meibion, H. Roberts, Clynog, tad Rachel Roberts, ac Evan Roberts, Plas Gwyn symud. Yr oedd yr hen dŷ yn y fan lle mae'r stabl yn awr ac 'roedd yno felin ar un adeg. Un gaeaf lladdwyd llanc wrth iddo dorri rhew oddi ar yr olwyn.

Yn is i lawr y ffordd y mae Maes Aber Llech, fferm fechan lle trigai Evan ac Ann Evans a'r teulu. Yr oedd hi'n chwaer i Dafydd Morris, Tŷ Uchaf. Aeth y teulu hwn, ynghyd ag amryw o deuluoedd eraill, i Frymbo ar ôl i waith dŵr Llanwddyn orffen.

Yn uwch i fyny'r ffordd y mae Tŷ Isaf. Peter Foulkes oedd y trigiannydd diwethaf. Yr oedd yn ysgolor, yn Ysgrifennydd y Plwyf ac yn Warden Eglwys.

Mr a Mrs Thomas Roberts a saith o blant a gofiaf gyntaf ym Mhwll Iago. Wedyn, mae Tŷ Uchaf, hen dŷ wedi ei adeiladu yn 1665 ac mae'r darn pren oedd yn y nenfwd uwch ben ffenestr y llofft gyda CR 1665 arno yn awr yn y Neuadd Goffa yn Llangynog. Tybir mai Cadwaladr Roberts, y bardd y cofnodir ei gladdu 14 Chwefror 1708/9 yng nghofrestr Pennant Melangell yw'r

'CR' hwn. Thomas Morris a'i briod, rhieni Dafydd Morris, Penygeulan oedd yn byw yno. Llawr palmant oedd i'r tŷ a thân ar lawr o dan simdde fawr agored. 'Roedd yno hefyd ystafell gudd. Gellid bwydo'r gwartheg heb fynd allan o'r tŷ gan fod drws i'r beudy ar y dde ar ôl mynd trwy ddrws y tŷ.

Ym mlaen Cwm Llech mae hen furddun ffermdy wedi'i addasu'n gorlan i'r Graig Las. Yn nes i'r Pistyll y mae Carreg Arian lle darganfuwyd llestri arian wedi eu cuddio, sef, yn ôl traddodiad, peth o ysbail Gwylliaid Cochion Mawddwy.

Ar y dde i'r Pistyll mae clogwyn o graig sy'n debyg iawn i ben dyn wrth edrych arno o'r Bont Dyrpeg ger Capel yr Annibynwyr. Ei enw yw Darren Gigfran. Byddai cigfrain yn nythu yno bob blwyddyn ac 'roedd yr agen sy'n mynd trwyddo yn lle da iawn am lwynog. Ceir peth *china clay* yn y ceunentydd wrth y clogwyn ond dim digon ar gyfer ei weithio.

Ar draws ffridd Pwll Iago mae Llyn y Mynydd, llyn a wnaed gan gwmni'r gwaith plwm er mwyn cael digon o ddŵr i olchi'r plwm a throi'r olwynion mawr. Clawdd pridd sydd i'r llyn ar yr ochr allanol a wal gerrig ar yr ochr fewnol. Nid oes ond ychydig dros gan mlynedd er pan grewyd y llyn hwn. Credaf mai Evan Morton, Pengwern a aeth â'r pibellau a'r coed i fyny yno. Y mae'r pibellau yn 30 llath o hyd ac yn 18 modfedd ar draws, a'r llyn yn wyth llath o ddyfnder yn ei ben isaf. Gwnaed ffos o flaen Afon Cedig er mwyn cael digonedd o ddŵr. Thomas Morris, Tŷ Uchaf a ofalai am y dŵr ac ef oedd yn gyfrifol am ei ollwng pan fyddai angen.

Ar yr ochr chwith, i gyfeiriad Cedig, y mae Llyn

Pennau, lle peryglus iawn ar un adeg, sef siglen tua thair cyfer o faint ac yn ysgwyd fel jeli. Ond bu daeardor ac aeth y dŵr allan bron i gyd. Y mae Hafoty Allen Fawr yn y pant yn nes i Cedig ond corlan sydd yno'n awr.

Wrth droi'n ôl ar y chwith down i Waun Llestri ar fynydd Graig Las. Yn y fan yma mae hen lwybr post yn croesi am Lanwddyn — mynd un diwrnod a dod yn ôl trannoeth. Y mae hen ffordd gefn o Ben-y-bont-fawr yn croesi yn y fan yma hefyd ac mae olion hen feddau cyn mynd i fynydd Cwmdwygo. Awn yn ôl am y llwybr post ac i lawr i gyfeiriad ochr isaf y ceunant. Y mae hen dwnnel yn ymyl ac olion gwneud ffos o'r afon ar hyd mynydd Graig Las. Cofiaf weld carw coch uwch ben y Pistyll. Ar ôl mynd drwy'r creigiau cawn fod tair ffos wrth i'r dŵr weithio'i ffordd rhwng y graig a'r ddaear. Bu daeardor enfawr yma a chladdwyd cae yn perthyn i Graig Las otano.

Yn is i lawr y ceunant y mae Graig Las, fferm Capten Thomas a'i briod a'r mab, Robert Thomas, Parc. Yr oedd yno blant eraill ond aethant oddi cartref — rhai i Awstralia, ac Augustus i'r America. Gydag ef yr euthum i yno yn 1899. Cafodd Capten Thomas ei deitl 'Capten' am ei fod yn fformon yn y gwaith plwm. Nid oedd yn siarad ond ychydig o Gymraeg. Yr oedd ganddo goes bren a gallai ei defnyddio pan âi pethau'n groes. Arferai roi hanner coron i'r plentyn cyntaf a alwai i hel calennig.

Yn y lle nesaf, Tan y Coed, hen lanc o'r enw Robert Owen oedd yn byw. 'Roedd yn frawd i Owen Owen, Cross Keys a Humphrey a aeth i'r America. Chwaer iddynt oedd Mrs Thoms, Graig Las.

Yng Nghwmdwygo yr oedd Mrs Hughes a dau fab,

John a Dafydd. Chwaer iddynt oedd Mrs Evans, Llwyn Onn. Y mae ôl yr hen dŷ yn nes at giât y mynydd. I fyny yn y mynydd ceir ôl llyn at gael dŵr i'r gwaith plwm a gwelir olion y ffosydd yn croesi am y gwaith.

Yn is i lawr, cyn mynd at Lwyn Onn, yr oedd hen dŷ ac o'r fan yma ceir golygfa hardd o Gwm Pennant. Mr a Mrs Dafydd Evans a'r plant oedd yn Llwyn Onn. Y mae tri ohonynt yn Nhan y Coed yn awr.

Yn Nant-yr-angell, yn is i lawr ar ochr y ffordd, y mae dau deulu'n byw, sef Mr a Mrs Griffiths a'r plant yn y pen uchaf a Mr a Mrs Roberts yn y pen arall. Hen baffiwr oedd Robert Roberts ond cafodd droedigaeth yn niwygiad 1904.

Pengwern yng ngwaelod y cwm. Mr a Mrs Evan Morton a'r plant oedd yno, rhieni Mr T. Morton, Rhydyfelin yn awr. Yr oedd llwybr troed o Langynog i Lanwddyn yn mynd drwy'r buarth. I fyny'r ceunant yr oedd hen dŷ o'r enw Foty Pengwern a hen ŵr dall yn byw yno. Mae'n syndod sut y medrai fynd adref o'r Llan. Yn y bwlch uwch ben mae llwybr o Langynog i Hirnant, gyda Llwybr Helen yn ei groesi a ffordd gefn yn croesi'r ddau. Mae ôl gwneud ffos o nant y Bwlch dros y gefnen i gael dŵr i'r gwaith plwm. O dan Pengwern ceir olion lle'r oedd y peiriannau mawrion yn pwmpio dŵr o'r gwaith. Cofiaf eu gweld yn cael eu tynnu i lawr a'u hanfon i ffwrdd.

Dyna ychydig o hanes Cwm Pennant. Nid wyf am dresbasu ar y Llan na Rhiwarth ond gadael i rywun arall wneud. Y gwir yw fod digonedd eto i'w ddweud am Bennant.

Ysgol Sabothol Rhiwarth
gan John Watkins, Buarth Glas

Dathlwyd canmlwyddiant Ysgol Sabothol Rhiwarth ar Fai 26, 1934. Mae'n ymddangos y cynhelid Ysgol Sabothol yn y cwm hwn tua deng mlynedd ar hugain cyn adeiladu'r ysgoldy presennol. Daeth gŵr nodedig o Sir Feirionnydd, sef Mr Robert Jones, i fyw i Flaen Rhiwarth. Yr oedd yn ŵr deallus, ben ac ysgwydd yn uwch mewn gwybodaeth na neb o'r ardalwyr yn y dyddiau hynny ac wedi bod am dymor yn un o ysgolfeistri cylchynol Mr Charles o'r Bala. Gwelodd y gŵr hwn gyflwr tywyll y cwm, yr hyn oedd yn peri pryder mawr iddo. Arferai'r ardalwyr gyrchu at ei gilydd i'w tai ar y Suliau i chwedleua ac i sôn am yr hela, yr ymladd ceiliogod, y pitsio a'r tosio neu'r ffair, y farchnad a helynt cymdogion. Blinai hyn feddwl ac ysbryd y gŵr duwiol o Flaen Rhiwarth a barnodd mai'r modd gorau i ddileu'r cynulliadau hyn oedd sefydlu Ysgol Sul a'i chynnal yn y tai lle cynhelid y gwylmabsantau a lle byddai'r bobl hyn yn ymgasglu. Fel hyn, wrth symud o dŷ i dŷ câi'r preswylwyr flas ar bethau anhraethol bwysicach.

Yr amaethdy cyntaf a roddodd ddrws agored i'r Ysgol Sul oedd Minffordd lle'r oedd gŵr o'r enw Dafydd Jones yn byw. Ni wyddom ddim am y gŵr hwn namyn mai ef oedd y cyntaf i groesawu'r Ysgol Sul i'r cwm. Y lle nesaf oedd Nant-y-ffos-ddu. Yno 'roedd John Roberts yn byw. Gŵr diamheuol dduwiol oedd hwn, sef tad Evan Jones, Ty'n y Pant a hen daid y diweddar Barchedig John Morris Jones, Glanadda, Bangor. Er gwaethaf henaint bu'n offeryn i gasglu plant ac ieuenctid yr ardal i'r Ysgol Sul.

Bu'n cael ei chynnal wedi hynny yn ysgubor Tŷ Glas, neu 'Sgubor Catrin' fel y'i gelwid, sef Catrin Roberts, nain i'r diweddar David Roberts, Ysgubor-llan. Iddo ef, gyda llaw, y mae'r diolch am y rhan fwyaf o'r hanes hwn. Bu'n fugail defaid ym Mlaen Rhiwarth am ugain mlynedd ac arferai fynychu'r rhan fwyaf o'r tai lle cynhelid yr Ysgol Sul. Gallai gofio John Roberts, Nant-y-ffos-ddu yn hen ŵr a chadach coch am ei wddf a'i ben yn sefyll wrth ddrws ysgubor Tŷ Glas ac yn helpu'r plant bach i ddringo'r step i'r Ysgol Sul.

Bu'r Ysgol hefyd yn y Carneddi trwy ganiatâd gŵr o'r enw John Jones a oedd yn byw yn Nhy'n Ffynhonnau er nad oedd ef yn Fethodist. Weslead ydoedd ac yn gefnogwr eiddgar i bob achos da. Yr oedd hefyd yn ysgolor uwch na'r cyffredin yn y dyddiau hynny. Gŵr o'r enw John Peters oedd yn byw yn y Carneddi ond John Jones oedd yn dal y tir.

Y symudiad nesaf oedd i Ddrws-nant lle'r oedd Dafydd Davies yn byw ac yn fugail defaid i Lwyn Onn. Mae'n debyg mai ar ei ôl ef y gelwir y lle'n 'Dŷ Dafydd' hyd y dydd heddiw.

Y lle olaf y mae gennym sôn amdano yw yr Eithin ond rhaid cofio wrth gwrs iddi gael ei chynnal fwy nag unwaith yn yr un lle. Thomas Evans oedd yn byw yn yr Eithin, sef tad R.R. Evans, Llwyn Onn a T. Evans ac Evan Evans, yr Eithin.

Y dynion a gymerai'r cyfrifoldeb am yr Ysgol Sul yn ystod y cyfnod symudol o 1803 oedd Robert Jones, Blaen Rhiwarth a John Jones ei fab; John Roberts, Nant-y-ffos-ddu a'i fab Evan Jones, Ty'n y Pant, un a fu'n ofalus am holl agweddau'r achos hyd ei farwolaeth yn 1831; John Davies, Glanrafon, sef taid M.E. Davies, Tyrpeg. Dysgu'r plant bach y byddai John Davies.

Yn y flwyddyn 1834, ar Chwefror 17, ceir cofnod o gynlluniau'r ysgol bresennol pryd yr arwyddodd Mr Thomas Roberts, Llwyn Onn brydles ar y tir yr adeiladwyd yr ysgoldy arno. Saif ar lecyn a elwir yn 'Twmpath Chwarae' lle'r ymgasglai ieuenctid yr ardal i ymladd ceiliogod a chwarae anterliwtiau ar y Suliau. Adeiladwyd yr ysgoldy gan Mr Robert Jones, Blaen Rhiwarth, gan mwyaf os nad yn gyfan gwbl ar ei gost ei hun. Nid oes ond ychydig iawn o nodiadau am y gwaith adeiladu ac mae hynny'n mynd ymhell i brofi mai llafur distaw ydoedd. Yn ôl yr atgofion a gasglwyd, ymddengys bod y prif gyfrifoldeb am yr adeiladu yn ogystal â dwyn yr achos ymlaen wedi bod ar ysgwyddau Robert Jones, Blaen Rhiwarth. Fel y crybwyllwyd eisoes, yr oedd Evan Jones, Ty'n y Pant wedi marw dair blynedd ynghynt.

Tua'r adeg yma cawn fod Robert Jones y Bwtsiar yn byw ym Muarth Glas a'i wraig yn ferch Blaen Rhiwarth. Yr oedd Robert Jones (Robert Jones, Stryd Wen wedi hynny) yn ŵr addfwyn iawn ac yn flaenor a Christion cywir. Byddai rhai o'r hen flaenoriaid yn torri at y gwaed wrth ddisgyblu ond byddai Robert Jones yn tywallt olew ar y briwiau.

Bu Lewis Roberts, Tŷ Glas a John Jones, Blaen Rhiwarth â'u hysgwyddau dan yr achos am flynyddoedd. Yna daeth gŵr o'r enw Harri Roberts i Fuarth Glas, sef brawd Robert Roberts, Rhydyfelin. Yr oedd Harri Roberts yn ŵr duwiol ac addfwyn iawn ac yn dra ffyddlon i'r Ysgol Sabothol. Samuel Roberts, Pencraig hefyd, gŵr yr oedd gan bawb a'i hadwaenai air da iddo, yntau'n un a lafuriodd yn galed.

Ceir cofnod am y Cyfarfod Dirwestol cyntaf yn yr ysgoldy yn Ionawr 1837, a'r Parch. Joseph Thomas, Carno yno'n annerch pan oedd yn ddyn ifanc.

Daeth hen frawd ffraeth a galluog, sef Edward Humphreys i fyw i Lanyrafon a'i enw barddol oedd Iorwerth Cynog. Pe digwyddai i rywun ei gythruddo byddai'n arllwys ei lid arnynt mewn prydyddiaeth lem iawn. Un tro yr oedd hen wreigan dlawd yn casglu ychydig goed tân ym môn y clawdd, a'r hen fardd yn gybyddus â hi ac yn ei cheryddu fel hyn rhwng difri a chwarae:

Palws Elis felen, hyll
  Yn tynnu cyll i'r caeau
A'u cario ar ei chorun llau
  A minnau'n 'cau' fy ngorau.

Daeth gŵr galluog arall i fyw i'r ardal, sef i'r Nant, William Swancote, un o flaenoriaid mwyaf galluog Cyfarfod Misol Trefaldwyn Isaf. Hefyd Thomas Swancote, mab arall ieuengach ac un a fu'n arweinydd y gân am flynyddoedd yn y Llan. Dewiswyd ef yn flaenor yn y Llan ond gwrthododd fynd i'r Cyfarfod Misol i'w dderbyn gan mor wylaidd ydoedd. Yn sicr, 'roedd yn un o ddynion mwyaf duwiol yr ardal ac aeth at ei wobr yn anterth ei ddefnyddioldeb yn 35 mlwydd oed.

Byddai myfyrwyr o Goleg y Bala yn dod i'r Cyfarfod Ysgol yn y Llan i holi'r Ysgolion Sul — Dr. Lewis Edwards yn eu plith — a byddent yn synnu at allu rhai dynion. Yr oedd amryw ohonynt yn deall eu Testament Groeg, ac fel 'Y Groegwyr' y cyfeirid at drigolion Rhiwarth gan rai pobl.

Yr un adeg â Thomas a Dafydd Swancote daeth John Roberts i Fuarth Glas a bu'n ffyddlon iawn i'r Ysgol Sul nes y symudodd i fyw i'r Llan lle bu'n flaenor hyd ei farwolaeth. Bu Evan Evans, yr Eithin a Robert Morris, Tŷ Mawr, hwythau yn dal yr awenau gyda mawr sêl dros yr achos.

Yn 1884 yr oedd yr ysgoldy'n dadfeilio a chasglwyd £16/16/8 tuag at ei atgyweirio. Yr adeg yma hefyd prynwyd y brydles oddi ar Mr R.R. Evans, Llwyn Onn. Y mae'r tir a brynwyd yn 15 llath o hyd a 10 llath o led. Rhoddodd teulu Blaen Rhiwarth yr ysgoldy'n rhodd i'r Cyfundeb ac mae'r gweithredoedd ynghadw yn y gist yn Llanfyllin. Prynwyd y brydles gan Mr Robert Morris, Tŷ Mawr ac Evan Evans, yr Eithin. Bu'r ddau frawd yma yn ffyddlon iawn ac yn dwyn mawr sêl dros yr achos. Byddai Mr a Mrs Robert Morris yn rhoi te yn aml i ddeiliaid yr ysgol fach a byddai gofal y ddau'n fawr dros dlodion y cwm ar adegau oer a chaled y gaeaf. Byddai gweld Evan Evans yntau yn ymweld â'r tai anghenus yn ysbrydiaeth ac yn porfi mai 'wrth eu ffrwythau yr adnabyddwch hwynt'.

Yn 1906 daeth gŵr o'r enw Robert Roberts i fyw i Lanyrafon a bu'n ffyddlon a selog i'r ysgol fach hyd ei ymadawiad. Anrhegwyd ef â Beibl hardd yn 1911. Yn 1905 daeth Mr R.T. Hughes i fyw i Lwyn Onn o ardal

Cerrigydrudion ar ei briodas â Miss Davies, Drefechan, un o gymeriadau harddaf yr ardal. Fe'i trawyd hi i lawr yn 1911 ynghanol ei defnyddioldeb er colled fawr i'r Ysgol Sul. Yr un flwyddyn ymdawodd teulu lluosog y Swancotes o'r Nant am Ganada er mawr golled i'r ardal a'r ysgol fach. Yr oeddynt yn ddisgynyddion o'r tadau a sefydlodd yr Ysgol Sabothol yn y Rhiwarth ac ni bu'r aelodau yn ôl o ddangos eu gwerthfawrogiad o'u gwasanaeth a'u ffyddlondeb trwy eu hanrhegu â nifer o lyfrau da a gwerthfawr. Rhoddwyd gwledd o de i'r aelodau ac iddynt hwythau gan gyflwyno'r anrhegion yn y cyfarfod ar ôl. Nid oes hafal Ysgol Rhiwarth am ei charedigrwydd at y rhai sydd wedi ei gwasanaethu.

Y mae rhai gwŷr enwog yn eu dydd wedi bod yn aelodau o'r ysgol hon, er enghraifft, Yr Athro John Morris Davies, Bala-Bangor, un o enwogion y pulpud Annibynnol. Difyr oedd ei glywed yn adrodd hanes yr hen dadau yn Ysgol Rhiwarth pan oedd ef yn blentyn. Hefyd Yr Athro Robert Richards yn dweud fel y byddai'n dod gyda'i nain i'r Ysgol Sul pan oedd yn hogyn yn Nhan-y-ffordd.

Bydded i fantell y tadau hyn ddisgyn ar y to ieuanc sy'n codi fel bod eu dylanwad yn parhau i'r oes a ddêl.